Juegos
y actividades
en la naturaleza

Uli Geissler • Ilustraciones de Birgit Rieger

Juegos y actividades en la naturaleza

196 DIVERTIDAS PROPUESTAS

ONIRO

Título original: *Das grosse Ravensburger Natur-Spielebuch*
Publicado en alemán por Ravensburger

Traducción de María Dolores Ábalos

Fotografía de cubierta: Creatas / Stock Photos

Distribución exclusiva:
Ediciones Paidós Ibérica, S.A.
Mariano Cubí 92 – 08021 Barcelona – España
Editorial Paidós, S.A.I.C.F.
Defensa 599 – 1065 Buenos Aires – Argentina
Editorial Paidós Mexicana, S.A.
Rubén Darío 118, col. Moderna – 03510 México D.F. – México

ISBN: 84-9754-197-9
Depósito legal: B-41.824-2005

Impreso en Hurope, S.L.
Lima, 3 bis – 08030 Barcelona

Impreso en España – *Printed in Spain*

Índice

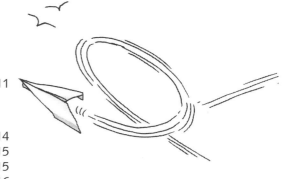

Juegos en el agua

Juegos con arena y piedras

Juegos con lluvia o nieve

Juegos al atardecer y por la noche

Juegos con los cuatro elementos

Juegos para todos los sentidos

Juegos creativos

Juegos para grupos más numerosos

Pura diversión en la naturaleza

¿Qué hay más bonito que jugar fuera, al aire libre, en plena naturaleza? Todas las ideas de este libro animan a entrar en contacto con la naturaleza a través del juego. A la hora de sugerir juegos, también se ha tenido en cuenta el entorno urbano o menos verde que nos rodea.

En este libro el lector podrá encontrar toda clase de ideas que estimulan el juego: desde diversiones de tipo contemplativo, casi meditativo, hasta juegos salvajes, temerarios o incluso disparatados. Todas las propuestas de juego tienen en común el contacto del hombre con la naturaleza y la alegre y sencilla convivencia con el entorno.

Les deseo a todos los que quieran jugar que pasen un buen rato y que tengan experiencias bonitas y positivas.

Los siguientes símbolos le facilitarán la elección:

Número de jugadores

Duración del juego

Necesita una persona que dirija el juego (un niño o un adulto. Si se requiere mucha precaución, más vale que sea un adulto.)

Los juegos recuadrados en verde son tranquilos y relajantes.

Juegos en el prado y en el parque

Justo delante de casa se puede jugar en y con la naturaleza.
Mover el cuerpo y hacer uso de la imaginación proporciona
mucho placer.

A partir de
3 jugadores

15

Buenos días, queridos animales

Los jugadores se acomodan en el suelo. Cada uno se imagina que es un animal. Uno dirige el juego y cuenta una historia en la que participan todos los animales. El director ha de procurar que todos imiten los gestos o los movimientos.

Ejemplo:
«Es una noche larga y apacible. Estás dormido profundamente. Tu respiración es regular y tranquila. Tienes un bonito sueño. Poco a poco, el cielo empieza a clarear. Aún reina el silencio.»
(Esperar unos segundos.)
«De pronto, el primer rayo de sol se abre paso a través de las ramas. Pero tú sigues muy cansado. Arrugas un poco la nariz y meneas las orejas. Te das la vuelta y sigues durmiendo.»
(Esperar unos segundos.)
«El segundo rayo de sol atraviesa las ramas y te calienta la cara. Te mueves un poco e intentas rehuir los dos rayos del sol. Pero entonces te alcanza el tercer rayo y una suave brisa acaricia tu rostro.»
(Esperar unos segundos.)
«Sabes que comienza el día. Parpadeas con cuidado y, muy lentamente, tus cansados ojos empiezan a despertarse y a mirar con curiosidad a tu alrededor.»
(Esperar unos segundos.)
«Bostezas y te estiras, y poco a poco te vas despertando. Según la clase de animal que seas, gruñes, cantas o zumbas tus primeros sonidos al nuevo día. Notas cómo se desentumecen tus músculos y te levantas del todo.»
(Esperar unos segundos.)
«Para entonces ya es de día, y las brillantes gotas de rocío sobre el musgo te hacen olvidar definitivamente la noche. Te alegras de poder afrontar al fin el nuevo día. Te mueves de un lado a otro cada vez más deprisa. Te mueves como se movería un animal de tu especie. Cuando te encuentras con otros animales, los saludas a tu manera. Pero no dejes que nada te detenga. Aprovecha el nuevo día.»
(Dar tiempo para que todos se muevan y correteen de acá para allá.)

Si todos corrren y alborotan, es que se ha alcanzado el objetivo del juego. Ahora todos están preparados para pasar a otro asunto.

No hace falta ningún material

Se puede jugar en cualquier parte

Sugerencia

Este juego es bueno para tranquilizarse y para prepararse a percibir conscientemente la naturaleza.
El breve relato será narrado de una manera sosegada y natural, y el narrador deberá animar a la participación. Para ello es importante no apartar la vista de los jugadores. Quizá tarden un rato en adoptar el papel de su correspondiente animal y en desarrollar los movimientos adecuados.
Al principio, el narrador deberá indicar que los animales pueden tomarse su tiempo.

¡AAUM!

Cánticos salvajes

Cada jugador elige un animal o un ruido de la naturaleza, como por ejemplo un pájaro, un oso, un zorro, un insecto, el crujido de la hierba, el murmullo de un riachuelo, una liebre, etc. Es a primera hora de la mañana, por lo que los ruidos surgen poco a poco. Paulatinamente, van subiendo de volumen hasta que se produce un salvaje cántico. Una vez que los jugadores se han desfogado, las voces de los animales se van adaptando a los sonidos de la naturaleza, volviéndose más suaves y fundiéndose hasta formar un armonioso sonido natural.

No hace falta ningún material

Se puede jugar en cualquier parte

Variante

Todos se encuentran en la selva. Allí los ruidos son muy distintos: el ave del paraíso, el loro, la rapaz, el zorro volador...

¡UNGA UNGA!

¡PROOT!

¡FRUUI!

No vale tocarse

Se divide una superficie de juego en cuatro partes del mismo tamaño. Todos los jugadores andan a distintas velocidades atravesando toda la superficie sin tocarse: al principio despacio, al cabo de un rato un poco más deprisa, y al final casi corriendo. El director da una palmada, y la superficie se reduce a la mitad. En ese espacio limitado continúa el juego. Por último, la superficie vuelve a dividirse por la mitad. Al final, todos se sacuden y respiran profundamente para recuperarse un poco.

A partir de 4 jugadores

No hace falta ningún material

Se puede jugar en cualquier parte

Historias de la naturaleza

Material

Diferentes hallazgos de la naturaleza como palitos, cortezas, hojas, musgo, piedras, paja, heno, huesos, caparazones de caracol, pelos de animales y otros objetos de interés.

Lugar

Bosque, linde del bosque, borde del campo, prado, parque.

Sugerencia

Se da por supuesto que no se pueden arrancar plantas ni llevarse animales protegidos; tampoco se le puede arrebatar nada violentamente a la naturaleza. Hay que tratar con cuidado los hallazgos de los demás.

Todos van paseando por la naturaleza. Cada jugador echa el ojo a algunos objetos de la naturaleza que le resulten interesantes, que le llamen la atención y que estén al borde del camino. Cada jugador toma dos de estos objetos. Al volver de la excursión, todos se sientan en corro y sacan sus hallazgos. Uno tras otro, los jugadores presentan sus objetos y cuentan qué les ha llevado a elegirlos. Cuando todos hayan hablado, pueden inventarse entre todos una historia común. El que tenga una idea toma uno de los hallazgos, lo coloca en el centro y dice una o dos frases sobre él. Otro elige otro objeto, lo pone también en el centro y continúa la historia empezada. El que tome el último objeto de la naturaleza concluye la historia con una idea ocurrente. Luego los hallazgos se devuelven a sus propietarios.

Siente cómo te acaricia la naturaleza

Cada uno reúne distintos objetos de la naturaleza (por ejemplo, tallos de hierba, hojas, ramitas, musgo, plumas, cáscaras de huevo, pelos de animal...) y los guarda tapados. Se forman parejas. Uno de los dos se tumba cómodamente boca arriba y cierra los ojos. Entonces el otro acaricia suavemente con uno de los objetos reunidos las mejillas o el brazo desnudo de la persona que está tumbada. Al principio, sólo se trata de disfrutar, pero luego se puede intentar averiguar cuál es el objeto utilizado para el cosquilleo. Por supuesto, se pueden cambiar los papeles.

Una bandeja de hojas

Se amontonan en una bandeja unos cuantos puñados de hojas. El primer jugador toma la bandeja llena de hojas y la lleva como un camarero, procurando que no se le caiga ni una hoja. Antes de que transcurran 15 segundos, se la tiene que pasar rápidamente a otro jugador. Éste también tiene que hacer equilibrios con la bandeja y pasársela al siguiente, como muy tarde, al cabo de un cuarto de minuto. El que pierda hojas, tiene que volver a ponerlas en la bandeja, pero se le restan tanto puntos como hojas haya perdido.

Material

3-4 puñados de hojas, bandeja (de plata)

Se puede jugar en cualquier parte

Triángulo de cuerda

Se ata una cuerda hasta formar un ring. En cada partida sólo pueden participar tres jugadores. Éstos se colocan dentro de la cuerda tirando de ella con la cintura y formando un triángulo equilátero. A 1 metro, detrás de cada jugador, se clava un palo en el suelo. A partir de ahora los jugadores no pueden hacer uso de las manos. Tras la señal del inicio, los tres tiran fuerte de la cuerda con el cuerpo intentando alcanzar cada uno su marca.

Material

Una cuerda (de unos 3 m de longitud) por cada jugador
1 palo u otro objeto para marcar (por ejemplo, una piedra grande)

Se puede jugar en cualquier parte

Variante:

El juego es más divertido y algo más difícil si los jugadores se ponen de espaldas a la cuerda y a la marca. De este modo, cada uno puede hacer mediante muecas que los otros se desvíen.

¡Éste encaja!

Cada jugador elige de una a tres tarjetas para adivinar árboles y empieza a buscar los árboles correspondientes. Para ello se pone la tarjeta a cierta distancia de la cara y se mira a través de ella. El que crea haber encontrado el árbol que encaje en la silueta, tiene que guardar en la memoria dónde está ese árbol. Al cabo de un rato, todos se reúnen y cada uno exhibe sus árboles, mientras los demás jugadores miran con ojo crítico a través de la silueta y examinan el resultado.

Material

Tarjetas para adivinar árboles: En una cartulina se recorta la silueta de un árbol y luego se utiliza el marco que queda.

Lugar

Bosque mixto

Sugerencia

Las siluetas de los árboles se pueden recortar de cartulinas del tamaño de una tarjeta postal. En el lugar del juego tendrá que haber esa clase de árboles. También resulta muy estimulante jugar con árboles de especies raras.

Sólo paz

No hace falta ningún material

Se puede jugar en cualquier parte

En este juego de percepción corporal, la evolución del movimiento es más clara de lo habitual. Los jugadores se mueven por una superficie limitada. Pueden andar despacio, andar deprisa o también correr. Cuando el director del juego dé una palmada, todos empezarán a moverse a cámara lenta, intentando reproducir lo más exactamente posible la evolución del movimiento. Muy lentamente se van moviendo los brazos, las manos, los dedos, la cabeza, las piernas, los pies...

Rodando hacia la cumbre

En una ligera pendiente de un prado se marca un tramo de unos 8 m. Entonces los jugadores, desde abajo, van avanzando hacia arriba sólo dando volteretas. Una curiosa e interesante experiencia física.

No hace falta ningún material

Lugar

Una cuesta poco pronunciada de un prado

En equilibrio

Con un tubo o el tronco de un árbol y una tabla se construye un balancín. Los jugadores se suben con cuidado uno tras otro. Entre todos intentan guardar el equilibrio sobre la tambaleante tabla, de tal manera que el balancín no toque el suelo y ninguno de los jugadores se caiga.

Material

Una tabla estable, un tubo o un tronco de árbol estable, redondo y sin ramas.

Se puede jugar en cualquier parte

No lo digas

Un jugador piensa en algún concepto de la naturaleza. Pueden elegirse plantas, animales, paisajes o algo relacionado con el tiempo. El concepto elegido se lo describe a los otros jugadores de tal manera que no reconozcan inmediatamente de qué se trata. No se puede utilizar ni la palabra en sí ni formas directamente derivadas de ella como, por ejemplo, árbol o árboles, nube o nubarrón, arbusto o mata, arroyo o riachuelo. El que primero adivine la palabra puede pensar otro concepto y describírselo a los demás.

No hace falta ningún material

Se puede jugar en cualquier parte

Descubierto... desterrado

Al lado de un árbol grande se traza en el suelo un «círculo de destierro» de unos 3 m de diámetro. En mitad del círculo se monta una pirámide con tres palos apoyados el uno en el otro. El árbol es la línea de partida, desde donde se cuenta.

Un jugador empieza como desterrador, mientras los otros se esconden en una superficie de juego previamente acordada de unos 100 x 100 m. Para entonces el desterrador está en el borde del círculo y cuenta con los ojos cerrados hasta 50. Luego dice: «¡50! ¡Ay de aquel que no se haya escondido: peor para él! ¡Voy!». Entonces se pone a buscar a los otros jugadores. Si descubre a uno, corre al círculo y a la línea de partida y dice mencionando el nombre del jugador: «1,2,3, por... (nombre del jugador)... ¡desterrado!». A continuación, el jugador descubierto tiene que entrar en el círculo. El jugador desterrado queda libre y se puede volver a esconder cuando otro jugador pueda acercarse al círculo sin ser visto, tirar la pirámide y decir en voz alta: «¡...(nombre del jugador liberado) está libre!». Entonces los dos pueden echar a correr y esconderse de nuevo, mientras el desterrador tiene que volver al círculo del destierro y montar de nuevo la pirámide. Después, emprende de nuevo la búsqueda. Si en un plazo de tiempo convenido no encuentra a nadie, él o el director del juego emitirá una señal claramente audible y todos se reunirán en el círculo para elegir a un nuevo desterrador. En caso contrario, el último jugador desterrado desempeñará ese papel en la siguiente ronda.

A partir de 3 jugadores

30-45

Material

3 palos del mismo grosor, de 1 m de longitud

Lugar

Bosque, al borde del bosque

Variante

Se prescinde de contar hasta 50. Uno de los jugadores que pueden esconderse lanza los tres palos al aire y luego echa a correr. El desterrador tiene que colocar primero los palos y formar la pirámide. Cuando termina, grita: «¡El que no haya acelerado, será por mí desterrado!».

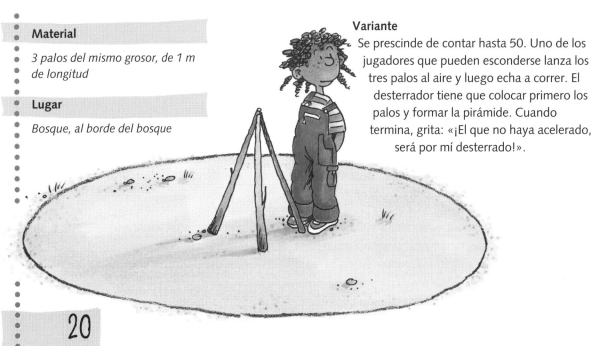

Juegos en el bosque y en el campo

Las posibilidades de jugar en el bosque son ilimitadas, sobre todo, si se dispone de tiempo para descubrir todos los secretos del bosque y disfrutar con todos los sentidos.

El secreto del pantano

A partir de 9 jugadores

60-90

Material

Varios papelillos, lápices, 5 tiras de tela (de unos 15 cm de anchura y 1 m de longitud), 1 silbato

Lugar

Bosque, borde del bosque, borde del campo, pradera, pero también en cualquier parte

Sugerencia

Las preguntas no han de ser demasiado difíciles y, a ser posible, deberán incluir particularidades de la zona de juego. El director del juego puede hacer sugerencias de preguntas.

Se fija una zona de juego y un punto de partida, la «cabaña del pantano». La superficie de juego ha de ser de unos 400 x 400 m y, a ser posible, con partes que queden ocultas. Se eligen tres jugadores que harán de «espíritus del pantano». Los restantes jugadores, los «exploradores del secreto», se dividen en grupos de tres.

Los espíritus del pantano desaparecen con las tiras de tela, un lápiz y unos papelillos por la zona de juego convenida. El resto del grupo no puede acceder a la zona hasta 15 minutos después (también con lápiz y papel). En el camino, los espíritus se piensan rápidamente cinco preguntas relativas a la naturaleza y una palabra, como por ejemplo «animal de las nieblas», «agua envenenada»… Esta palabra es el secreto. Las preguntas las anotan en los papelillos. A cada pregunta se le añade de una a tres letras de la palabra secreta, de tal modo que los exploradores, al acertar la respuesta, se enteren de qué letras son. Los espíritus del pantano colocan sus tiras de tela en distintos sitios de la zona de juego. Luego se esconden cerca de las tiras (en un perímetro de unos 10 m).

Después de esperar 15 minutos, los exploradores emprenden la búsqueda del «secreto del pantano». En cuanto vean una tira de tela, se ponen a buscar al espíritu del pantano. Entonces éste les plantea una de las preguntas y, si la respuesta es correcta, le nombra al grupo las correspondientes letras de la solución. Entonces los exploradores tienen que encontrar a otro espíritu del pantano. No se pueden hacer dos preguntas seguidas al mismo grupo, aunque hayan dado una respuesta equivocada. En cuanto un espíritu es descubierto por uno de los grupos tiene que esconderse cerca de otra marca.

Cuando uno de los grupos haya averiguado la palabra secreta, corre hacia la «cabaña del pantano» y ahí termina el juego. Un fuerte silbido reúne a todos de nuevo. El grupo que haya averiguado correctamente el «secreto del pantano» es el ganador.

Ejemplos:

¿Por qué los árboles recién talados se rocían con agua?
(Respuesta: Para protegerlos de las carcomas.)
¿Qué animales son necesarios para convertir el estiércol en tierra fértil? Menciona un mínimo de tres.
(Respuesta: Cochinilla de humedad, tijereta, lombriz, milpiés, ciempiés.)

Variante 1

El juego se puede variar planteando más preguntas o preguntas más difíciles. Pero entonces hacen falta también más escondites marcados para los espíritus del pantano.

Variante 2

También se pueden sancionar las respuestas equivocadas con «piedras de castigo», que son puntos negativos. Cuando todos hayan averiguado la palabra, gana el equipo que menos puntos negativos tenga.

Palo doble

Se fija un tramo de unos 10 m de longitud por un terreno algo accidentado. Hay una línea de partida y una meta. Los jugadores forman parejas. Los dos jugadores de cada pareja se colocan uno frente al otro sujetando dos palos en paralelo, como si fuera un puente. Luego, alguien pone encima de los dos palos un objeto de la naturaleza. Al dar una señal, los jugadores tienen que transportar ese objeto hasta la meta sin apartar las manos de los palos y sin perder el objeto cargado. Si se cae algo al suelo, sólo puede levantarse con los palos, no con las manos.

Material

Palos de igual longitud y grosor, diferentes objetos de la naturaleza, como por ejemplo trozos de raíces, hojas enormes o piedras.

Se puede jugar en cualquier parte

A partir de 2 jugadores

45

Parque natural

En una zona de juego previamente convenida, los jugadores tienen que buscar bellezas de la naturaleza que no llamen especialmente la atención, como por ejemplo musgo, una tela de araña en el tocón de un árbol, una pluma de pájaro en la hierba... Al cabo de 15 minutos, los jugadores montan su propio miniparque natural. Con algunas modificaciones en la zona delimitada, determinadas plantas, piedras, musgo, animales, raíces o similares lucen mucho más. Por ejemplo, a la superficie que rodea a una flor especialmente bonita se le pueden quitar las hojas secas; una piedra brillante cubierta de tierra se puede lavar; también queda bien rodear de piedrecitas una bonita superficie de musgo. Tras la fase de creación, cada uno muestra su parque natural a los demás.

Material

Materiales naturales (ramas, musgo, paja, corteza, piedras...)

Lugar

Bosque, borde del bosque, borde del campo, pero también en cualquier parte

Sugerencia

Al crear el parque natural hay que procurar no destruir ni dañar nada.

A partir de 4 jugadores

30

Sólo un instante

Dos jugadores forman la primera pareja activa. Los restantes jugadores se dan la vuelta o cierran los ojos. Uno de los componentes de la pareja cierra también los ojos y es conducido hasta un objeto natural interesante, como por ejemplo una piedra bonita. Se le pone la cabeza muy cerca del objeto elegido. El jugador puede abrir los ojos un instante y observar el objeto. Inmediatamente vuelve a cerrar los ojos y es conducido de nuevo al punto de partida. Entonces tiene que describir su objeto a los otros jugadores con toda clase de detalles. Los que le están escuchando abren los ojos, y el que primero descubra de qué objeto se trata y dónde está, será el siguiente en conducir a un jugador.

No hace falta nigún material

Se puede jugar en cualquier parte

24

Faunos de las cortezas y espíritus de las raíces

45-60

A partir de 2 jugadores

Durante un paseo por el bosque, todos buscan interesantes o curiosos trozos de raíces, fragmentos de corteza o también piedras de formas caprichosas. Estos objetos serán los personajes de una pequeña obra teatral. Cada uno piensa dónde quedarán mejor y los coloca sobre una roca grande, una piedra o un montón de leña. Entre todos, o cada uno por su cuenta, se inventan una historia con los personajes. Por ejemplo, «La prodigiosa raíz del arroyo plateado», «La hierba llorona y el musgo risueño» o «El testamento del espíritu del abedul». A continuación, los jugadores se cuentan unos a otros las historias utilizando sus personajes.

Material

Objetos de la naturaleza con formas curiosas, como raíces, piedras o cortezas. Para la variante: Linterna y navaja.

Se puede jugar en cualquier parte

Variante

Si se iluminan los hallazgos con una linterna, en la sombra aparecerán nuevas formas y figuras. Con una navaja se pueden tallar estas figuras para darles mayor expresión.

Rodeado de naturaleza

30

A partir de 3 jugadores

En este juego se puede uno rodear de naturaleza como en el mundo legendario. Para ello, el jugador se tumba en el suelo en la postura que prefiera. Los otros jugadores reúnen musgo, piedras, hierba, hojas, ramas, caparazones de caracol y todo lo que encuentren, y lo colocan alrededor del que está tumbado en el suelo. Más tarde, cuando el jugador se levante, quedará una clara silueta suya en el suelo.

Material

Todo lo que ofrece la naturaleza

Se puede jugar en cualquier parte

Variante

Después se puede rellenar la silueta con objetos como si fuera un mosaico.

A partir de 3 jugadores

30-60

No hace falta ningún material

Se puede jugar en cualquier parte

Sugerencia

Si se explora minuciosamente el entorno, con un poco de fantasía pueden surgir historias impresionantes.

A partir de 3 jugadores

20-40

Material

Tarjetas en las que aparezcan los distintos papeles que se pueden elegir (por ejemplo, guardabosques, profesor, propietario de un bosque, negociante, búho, oso, hormiga, arroyo, el árbol más viejo de ese bosque).

Se puede jugar en cualquier parte

Sugerencia

En este juego se trata de ver las cosas desde diferentes perspectivas.

Como te lo cuento

Los jugadores exploran durante un rato una zona limitada, fijándose en cosas curiosas, tanto grandes como pequeñas. Puede ser una flor que asoma por el asfalto, un arbolito serrado, raíces podridas, musgo, corteza raspada, heno recién segado, nieve con surcos, un camino trillado a través de la espesura, etc. Cada uno de los jugadores elige una de estas curiosidades y piensa en qué podría narrar sobre su vida ese objeto de la naturaleza, si pudiera hablar. Al cabo de 15 minutos, todos se reúnen. Uno tras otro, van contando una historia desde la perspectiva del objeto o animal elegidos.

Ejemplo

«Hoy ha sido un día genial. Ya desde por la mañana tenía calorcito. Hacía tanto sol, que se evaporaba el rocío de la noche. Un caracol un poco baboso se ha subido encima de mí. Le ha costado una eternidad. A mi lado, las hormigas se pasan el día construyendo una montaña gigantesca. Nadie sabe para qué. A mí la verdad es que me da igual. Yo sigo creciendo a mi aire.»

Tiene la palabra el bosque

Al principio, todos eligen una tarjeta y la leen en silencio. Cada uno piensa en lo que le beneficia el bosque al ser vivo o al fenómeno natural elegido. Uno se imagina, por ejemplo, lo que puede hacer el bosque por un padre, un ciervo o un riachuelo. Al cabo de dos minutos, los jugadores van contando qué le diría el bosque a esa persona, a ese animal o a ese vegetal.

26

Cuando lo oiga, te lo cuento

Uno de los jugadores se inventa una breve historia y la subraya haciendo ruido con las latitas. Una vez usadas, se colocan siempre en el mismo sitio, de tal manera que los oyentes sepan dónde están.

Ejemplo

«Iba yo un día por un camino pedregoso (agitar piedrecitas). Durante un breve descanso, me apoyé en la áspera corteza de un árbol (frotar trocitos de corteza). Me figuré que llevaba algo para beber (agitar un tapón). Pero por desgracia no fue así. De manera que conté el dinero que me quedaba (tintineo de monedas) y encontré unas cerillas en el bolsillo (agitar cerillas)...»

Los otros jugadores escuchan la historia y los ruidos, fijándose bien en dónde deja el narrador las latitas. Una vez concluida la historia, otro jugador tiene que volver a contarla con la mayor exactitud posible y haciendo los correspondientes ruidos. Después de agitar tres o cuatro recipientes, le toca el turno a otro, que sigue narrando la historia. También cambia el narrador cuando uno se equivoca en la narración o hace un ruido que no es el apropiado.

Material

Aproximadamente, una docena de latitas o saquitos llenos de objetos que hagan ruido, como por ejemplo arena, trocitos de corteza, hojas secas, migas de pan duro, cerillas usadas, monedas, celofán, tapones de botellas...

Se puede jugar en cualquier parte

Sugerencia

No se deben usar demasiados ruidos. Lo mejor es utilizar algunas de las latitas varias veces a lo largo de la historia. De este modo, los otros jugadores pueden guardar más fácilmente en la memoria el sitio en el que han sido depositadas.

Yo tengo una más

Los jugadores se reúnen en un sitio en el que haya muchas hojas. ¿Quién es capaz de descubrir más? Luego, entre todos intentan clasificar las hojas, para lo cual puede venir bien utilizar una guía.

Material

Hojas diferentes; eventualmente, una guía de árboles.

Lugar

En cualquier parte en la que haya arbustos, árboles y setos.

Sugerencia

Las hojas no deben ser arrancadas de los árboles, sino cuidadosamente cortadas.

Jugando con las rodillas

A partir de 4 jugadores

20-30

Material

Tronco de árbol serrado y sin ramas (de unos 40 cm de longitud)

Se puede jugar en cualquier parte

Primero se marca una pista de 10 m de longitud. El primer jugador se mete el pequeño tronco de árbol entre las rodillas. Desde la línea de salida, recorre con él el camino acordado sin tocar el tronco con las manos ni corregir su posición. Si el tronco se cae antes de la meta, el jugador se detiene y obtiene un punto negativo. Justo en el punto en que el tronco se ha caído al suelo, lo sujeta otro jugador entre las rodillas y retrocede el camino que ha hecho su antecesor, de tal manera que recorre un tramo de la misma longitud. Si llega a la línea de partida sin cometer ningún error, obtiene un punto positivo, y entonces le toca el turno al siguiente jugador. Si por el camino pierde el tronco, obtiene un punto negativo. El siguiente jugador recorre el camino en sentido contrario, es decir, en dirección a la meta. Cada jugador intenta, pues, avanzar con el tronco entre las rodillas más que su inmediato antecesor. Si un jugador consigue traspasar la línea de meta o la de salida, obtiene un punto positivo que al final se compensa con los puntos negativos. A cada jugador le tocará jugar tres veces. El que saque más puntos positivos o, en su caso, menos puntos negativos, es el ganador.

Rama rodante

A partir de 1 jugador

15

Material

Una rama de unos 50 cm de longitud y unos 10 cm de anchura, y un palo o el palo de una escoba.

Lugar

Una superficie de juego despejada; no importa que esté un poco en cuesta.

Primero se dibuja o se marca en la superficie de juego un tramo de aproximadamente 1 m de anchura provisto de algunas curvas; también puede atravesar un charco o el bordillo de la acera. Se fijan la salida y la meta. Entonces, con la única ayuda del palo, hay que hacer que la rama recorra el tramo rodando. Si se sale de la pista, al jugador se le resta un punto. ¿Quién es capaz de hacerlo sin cometer errores?

Impulso natural

20-45

A partir de 2 jugadores

En una zona boscosa, al principio los jugadores forman un corro. Todos inspiran y espiran profundamente. Cuando se han tranquilizado un poco, se ponen a recorrer la zona de juego procurando ser atraídos hacia una parte determinada por algo de la naturaleza («impulso natural»). Seguro que hay algo que les impulsa a acercarse a un sitio en concreto, como por ejemplo, una fuente que salpique, una flor aislada, una rama que se esté meciendo, un insecto que salga trepando por un agujero de la tierra, una roca de forma curiosa o un rayo de sol. Cada uno se deja llevar por el impulso y se dirige a su respectivo lugar. Una vez llegado allí, cada jugador se concentra y se pregunta por qué ha tenido un impulso tan fuerte. Al cabo de un rato, los jugadores pueden cambiar impresiones acerca de su experiencia.

No hace falta ningún material

Lugar

Bosque o linde del bosque

Sugerencia

En este juego lo que importa es que los jugadores se comporten de forma disciplinada. El concepto de «impulso» se puede describir como «un lugar especialmente bonito».

¡Vuela, escarabajo!

10

A partir de 3 jugadores

Con el material natural disponible, se hace un escarabajo envolviendo la corteza con hojas y sujetando éstas con tallos de hierba. El primer jugador lanza el escarabajo hacia arriba, y otro lo atrapa. Pero este jugador no se queda con el bicho, sino que lo vuelve a lanzar rápidamente, como si le quemara en las manos.
El escarabajo tiene que estar todo el rato en el aire. Si se cae al suelo, tanto el jugador que no lo ha atrapado como el último que lo ha lanzado obtienen un punto negativo. Al cabo de 10 minutos, o cuando ya nadie quiera seguir jugando, termina el juego. El jugador con menos puntos negativos es el que ha ganado.

Material

Un trozo de corteza del tamaño de una mano, hojas grandes, algunos tallos de hierba resistentes

Se puede jugar en cualquier parte

29

A partir de
3 jugadores

30-45

Material

Un bonito tesoro (por ejemplo, unas sabrosas frambuesas o unas bonitas canicas de cristal)

Lugar

Bosque, borde del bosque, zona de vegetación variada

Siguiendo el rastro del tesoro del bosque

Uno o dos jugadores son nombrados «guardianes del tesoro». Antes de empezar a jugar, se les da un bonito (o sabroso) tesoro que el resto de los jugadores no deben ver. Los dos guardianes del tesoro se alejan dejando huellas reconocibles. Es importante que estas huellas consten exclusivamente de materiales naturales o de las posibilidades que ofrece la naturaleza. Por ejemplo, en la calle se pueden trazar flechas rascando en el suelo con una piedra, mientras que en el bosque las flechas se pueden dibujar con palos en la tierra. Pero sobre todo hay que utilizar las señales de los senderistas.

Los guardianes esconden el tesoro en un lugar apropiado. Una señal convenida y bien visible indicará que el tesoro está escondido en un perímetro de 10 m. Entonces los dos se esconden y esperan a los demás. Éstos sólo pueden emprender la búsqueda al cabo de unos 10-15 minutos. Entonces se ponen a buscar las marcas y las siguen. Llegados al lugar, buscan primero el tesoro y luego a los dos guardianes. Todos se felicitan por el valioso hallazgo.

He aquí algunas señales conocidas de los senderistas:

- Un montón de piedras con otras piedrecitas señalando hacia delante, hacia la izquierda o hacia la derecha: «Continuad por esta dirección».
- Una cruz hecha a base de piedras, palos, hierba, hojas y trozos de corteza: «Camino equivocado».
- Un círculo hecho a base de piedras, palos o manojos de hierba con una cruz en el medio: «Encuentro inmediato en el punto de partida».
- Un círculo formado por piedras, palos, hojas, trozos de corteza y hierba con una H en medio: «Help/Socorro, buscad por los alrededores».
- Una rama arrancada del todo: «Seguid por el mismo camino que hasta ahora».
- Un rama doblada, pero sin arrancar, en el lado izquierdo del sentido de la marcha: «Continuad andando hacia la izquierda».

Dejar huellas

Uno es el que deja las huellas. Se le dan 15 minutos para que deje huellas de diferentes clases en una zona delimitada previamente convenida. Pueden ser huellas de pies, huellas imitadas de animal, o también ramas dobladas al borde del camino, hierba aplastada, piedrecitas dejadas caer o el agua salpicada de un charco. El que deja las huellas se guarda en la memoria o anota los distintos tipos de huellas y el lugar en el que han sido dejadas. A los 15 minutos vuelve y los demás intentan descubrir, a ser posible, todas las huellas. Conviene que apunten sus descubrimientos. Una vez que todos vuelven al punto de partida, se examinan y se cotejan las observaciones. ¿Han sido descubiertas todas las huellas? ¿Cuáles no y por qué no?

Material

Papel para apuntar y lápices

Se puede jugar en cualquier parte

Robinsón balanceándose

Se confeccionan unas cuerdas largas a base de tiras estrechas de corteza de árboles recién talados. Los jugadores comprueban su estabilidad y su resistencia a la rotura haciendo la «prueba de la cuerda», es decir, tirando de ella cada uno por un extremo. Una vez confeccionada una cuerda de corteza de unos 2-3 metros, se busca un árbol del que sobresalga una rama y alrededor del cual no haya nada que estorbe. A esa rama se ata la cuerda... y ya puede Robinsón empezar a balancearse.

Uno de los jugadores agarra la cuerda y trepa un poco por ella. Otro jugador la menea lentamente de acá para allá, hasta que la cuerda se balancee por sí misma. Cuando la cuerda deje de moverse, el jugador salta al suelo. Lo más importante es que la liana sea balanceada sólo desde cerca del suelo, para evitar una posible caída desde muy arriba.

También se puede hacer un pequeño concurso para ver quién es el que más se columpia y el que mejor cae.

Material

Árboles recién talados con una corteza lisa que se desprenda con facilidad; eventualmente, varias navajas

Lugar

Bosque, borde del bosque

Sugerencia

Este juego es un desafío que entusiasma a todo el mundo. Hay que consultar previamente a la inspección forestal o a los leñadores. Conviene tener un permiso oficial. ¡Cuidado con el uso de la navaja!

El sonido de la tribu

Material

Varias ramas descortezadas de diferente grosor, un palo duro del grosor del pulgar

Lugar

Bosque, linde del bosque

Encima de dos ramas delgadas colocadas en paralelo, los jugadores colocan ramas y tronquitos descortezados de diferente grosor, como formando un xilófon. Con dos palitos duros del grosor del dedo pulgar se pueden golpear las ramas y extraer sonidos de ellas. Con un poco de práctica hasta se pueden tocar melodías. Uno de los jugadores hace de músico, mientras los otros, vueltos de espaldas, escuchan una breve melodía. El músico tiene que procurar no tocar demasiado deprisa y elegir melodías sencillas. A continuación, los otros jugadores se dan la vuelta y entre todos discuten sobre cómo deben ser manejadas las «varillas» para reproducir exactamente la melodía escuchada. Si llegan a un acuerdo, uno de ellos toca la melodía de la manera convenida. Siempre es emocionante ver si lo consigue. Una vez que le salga igual, le tocará hacer de músico a otro jugador.

Olisqueando trufas

Material

Rotuladores, 5 piedras del tamaño de un huevo de gallina por jugador

Lugar

Bosque, borde del bosque

En primer lugar, todos los jugadores juntan una montaña de piedras del tamaño de un huevo de gallina. Éstas harán las veces de las ricas trufas. En un trozo de bosque se traza una zona de unos 10 x 10 m. Cada jugador marca cinco de las piedras del montón —cada uno de un color diferente— con un símbolo inventado por él mismo. Todos los jugadores se distribuyen al mismo tiempo por la zona de juego y esconden sus trufas al pie de los árboles. No hay que enterrarlas a demasiada profundidad. Pero está permitido hacer excavaciones falsas para despistar a los demás. Una vez que han terminado de enterrar las trufas, todos se reúnen. Entonces se da la señal de salida y todos se ponen a olisquear y a escarbar, con el fin de hallar el mayor número posible de trufas de los otros jugadores. Las trufas propias no cuentan al final. Al cabo de unos 10 minutos, el juego termina y el que haya encontrado más trufas ajenas es el mejor olisqueador de este manjar.

Juegos en la ciudad y en el pueblo

Entre el asfalto y el hormigón también se puede descubrir la naturaleza y disfrutar de ella con todos los sentidos a través del juego.

A partir de
3 jugadores

10-20

Material

Un objeto cualquiera de la naturaleza de tamaño mediano

Se puede jugar en cualquier parte

Sugerencia

Este juego de cooperación también puede jugarse como un concurso entre dos equipos.

A partir de
3 jugadores

15-30

Material

Muchas cajas de cartón vacías de diferentes tamaños

Se puede jugar en cualquier parte

A partir de
2 jugadores

10

Material

Papel de periódico, viento fuerte

Se puede jugar en cualquier parte

Juegos en la ciudad y en el pueblo

La naturaleza más alta

Se trata de que los jugadores alcen o depositen lo más arriba posible un objeto cualquiera de la naturaleza, sin utilizar ninguna ayuda ni subirse, por ejemplo, a un árbol. Sólo se puede hacer uso del cuerpo.

Variante

Se trata de dejar un objeto natural lo más alejado posible. Para ello pueden usarse ayudas procedentes de la naturaleza, como por ejemplo palos.

De mudanza

Se reúnen cajas de cartón vacías de un contenedor de papel viejo o de un supermercado. Entre todos eligen un tramo con algunos pequeños obstáculos, como por ejemplo un trecho para hacer slalom alrededor de tres postes, una pequeña elevación, una fuente para rodear y un banco para recorrer. Uno tras otro, tienen que intentar recorrer el tramo transportando las cajas vacías sin perder ni una. Al que se le caiga una caja, no puede levantarla. ¿Quién es capaz de transportar el mayor número de cajas?

Lanzamiento con viento

Se hacen unas bolitas de papel con papel de periódico. Luego se traza una marca como punto de lanzamiento y se fija una meta determinada (por ejemplo, el banco de un parque, un tocón de árbol, un círculo dibujado en el suelo). Los jugadores se sitúan de tal manera que el viento sople transversalmente a la dirección del lanzamiento. El objetivo es arrojar las bolitas de papel a la meta.

Variante

Si se forman dos equipos, también se puede jugar a ver qué grupo acierta más veces.

Que no os pillen

Se forman dos grupos: uno grande, de unos dos tercios de todos los jugadores, que son los «fantasmas negros», y un grupo pequeño, de un tercio de los participantes, que son el «servicio de guardia». Al servicio de guardia se le entrega un plano de la zona de juego convenida, así como la lista de los lugares en los que los fantasmas negros tienen que desempeñar una serie de tareas. Los fantasmas negros reciben una lista de tareas. Tienen que hacerlas sin que los pille el servicio de guardia. En el transcurso del juego, los fantasmas negros pueden dividirse en pequeños grupos (como mínimo de tres personas cada uno).
Cada grupo tiene un punto de partida diferente que viene marcado en el plano. El servicio de guardia tiene que atrapar a los fantasmas negros en pleno cumplimiento de sus deberes y tocarles el cuerpo con un ligero golpecito. Si lo consigue antes de que los fantasmas negros huyan, éstos obtienen un punto negativo que ha de ser anotado. El servicio de guardia habrá ganado cuando los fantasmas negros tengan más de seis puntos negativos; en caso contrario, habrán ganado los fantasmas.

Material

Lista de tareas y lápices, plano del terreno de juego con diferentes puntos de partida

Lugar

Las afueras del pueblo o de la ciudad, pero también en cualquier parte

Ejemplos de tareas y preguntas:

- ¿Qué especies de árboles crecen en el lugar? Menciona tres.
- ¿Qué están recolectando en esa época los jardineros municipales en el parque?
- ¿Qué recomendación para los amantes de las plantas aparece en el escaparate del centro de jardinería?

Variante

También es muy emocionante si se juega a oscuras. En ese caso, las tareas han de ser adaptadas a las condiciones nocturnas.

Arbolito, cambia de sitio

Los jugadores se reparten un poco por la zona de juego, y cada uno marca a su alrededor un pequeño círculo, que es su alcorque. Un jugador se queda sin sitio propio. Una vez que todos han marcado el suyo, el jugador sin alcorque da una vuelta por la zona y grita de repente: «Arbolito, cambia de sitio». Entonces todos salen corriendo de acá para allá intentando buscarse un nuevo alcorque. El jugador que hasta entonces no tenía sitio propio también intenta buscarse uno. El que se quede sin alcorque será el siguiente en gritar: «Arbolito, cambia de sitio».

No hace falta ningún material

Se puede jugar en cualquier parte

Estrella errante

Material

Un balón

Lugar

Una superficie de juego despejada

Los jugadores son las estrellas del firmamento y se colocan formando un amplio corro. Uno de ellos es la «estrella errante». Otro es el «imán». La estrella errante intenta evitar que le toque el imán y que, de este modo, se le quede pegado. Las estrellas pueden ayudar a la estrella errante lanzándole el «cometa», que es un balón. Si la estrella errante lo atrapa, estará protegida del imán, y éste tendrá que alejarse inmediatamente dos metros. Al cabo de unos segundos, sin embargo, la estrella errante tiene que volver a lanzar el cometa a una de las estrellas. En cuanto se queda sin la pelota, el imán reanuda la persecución de la estrella errante. Si el imán roza a la estrella errante, ésta se queda magnetizada. El juego termina cuando esto ocurre por tercera vez, o cuando los dos cuerpos celestes están cansados.

La senda de la sabiduría

No hace falta ningún material

Lugar

Una plaza o una calle sin coches

Uno hace de «maestro del conocimiento» y se coloca en un extremo del área de juego; los otros jugadores ocupan el lado de enfrente. El tramo que los separa es la «senda de la sabiduría». El maestro busca un sucesor, y sólo el que consiga atravesar la senda de la sabiduría y llegar hasta él, podrá asumir esta función. El maestro del conocimiento se da la vuelta y plantea una pregunta, como por ejemplo: «¿Cómo se llaman los árboles del colegio?». Los jugadores se lo piensan, y el que cree poder responder a la pregunta da un paso al frente. El maestro pregunta cuántos jugadores saben la respuesta. Éstos se ponen de acuerdo en voz baja y mencionan un número. El maestro del conocimiento reflexiona sobre si se lo cree. Si cree que efectivamente conocen la respuesta ese número de jugadores, plantea la siguiente pregunta. Si no se lo cree, puede darse la vuelta y preguntarle a uno de los jugadores por la respuesta. Si el interpelado conoce la respuesta, continúa el juego. Si la respuesta que da es equivocada, ese jugador tiene que dar un paso atrás. El jugador que antes llegue a la altura del maestro del conocimiento, adoptará su papel en la siguiente ronda.

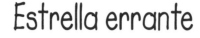

Ardiendo

En este juego se trata de
procurar no tocar el suelo. Se
fija un determinado tramo y una
determinada meta. Todos se imaginan
que el suelo está insoportablemente
caliente. Los jugadores trepan por la cornisa
de un muro y por el bordillo de la acera, se cuelgan de ramas que estén
bajas o saltan por tocones de árboles, contenedores, aparcamientos de
bicis o bancos de parque, para alcanzar la meta.

No hace falta ningún material

Se puede jugar en cualquier parte

Variante

Lo mismo, pero pisando el suelo a la pata coja.

Así eran antes las cosas

Los jugadores se reparten por la zona de juego convenida
y preguntan a los transeúntes por sus recuerdos sobre cómo ha
cambiado la naturaleza en el barrio durante los diez últimos años. Así
se enterarán de si han talado árboles, han edificado encima de algún
arroyo, han cambiado la vegetación de las plazas o han hecho algún
parque. Al cabo de una hora, todos se reúnen y se cuentan lo que han
averiguado. ¿Quién ha obtenido la información más interesante?

Material

Papel y lápiz para todos

Se puede jugar en cualquier parte

Detectives del medio ambiente

Los jugadores tienen la misión de descubrir y anotar o dibujar, dentro
de un espacio de juego limitado, las atrocidades más llamativas
cometidas contra el medio ambiente. No se trata de apuntar o dibujar
los coches que pasen, sino de observar los pequeños y grandes
atentados contra el medio ambiente y anotarlos en una hoja de papel.
Al final, todos informan acerca de sus descubrimientos. El director del
juego debe explicar qué atrocidades, pese a serlo, son inevitables (por
ejemplo, el tráfico automovilístico). También puede estimar cuándo se
debe denunciar algo, como por ejemplo si ve que alguien echa aceite
usado en un sumidero.

Material

Papel y lápiz para todos

Se puede jugar en cualquier parte

El encuentro con la naturaleza

Material

Sólo para la variante: Papeles de 10 x 10 cm y tizas

Se puede jugar en cualquier parte

Uno o dos jugadores se dan la vuelta o cierran los ojos. Los otros se reparten por la zona de juego previamente acordada y hacen distintos ruidos con objetos naturales. Por ejemplo, frotan unas ramas, parten una rama o golpean una piedra con un palo. Otra posibilidad es que les describan a los que están vueltos de espaldas un trocito del entorno. Luego se reúnen todos los jugadores. Entonces la tarea de los que estaban vueltos de espaldas es encontrar los lugares descritos, o bien repetir los sonidos oídos con los correspondientes objetos naturales.

Variante

En unos papelillos, cada jugador calca a escondidas tres estructuras naturales de su elección, como por ejemplo corteza, arena... Luego se juntan los papeles de todos los jugadores, se mezclan y se vuelven a repartir, de tal manera que cada uno reciba tres de las hojas. Si uno recibe una propia, simplemente la cambia por otra. Quien descubra primero las tres zonas, grita: «¡Ya lo tengo!». Si las zonas coinciden con las estructuras dibujadas, habrá ganado.

Espejo-guía

Material

Un espejo de mano no demasiado pequeño, de unos 10 x 15 cm

Se puede jugar en cualquier parte

Un jugador toma un espejo y lo sujeta por encima de la cabeza, de modo que pueda mirarlo desde abajo. El otro jugador busca un lugar destacado a cierta distancia. Puede ser una mancha de arena de color claro en el suelo, una flor asomando por el asfalto o la tela de una araña en un arbusto. El que tiene el espejo ha de encontrar el objetivo mirando exclusivamente por el espejo. Una vez que lo descubre, debe dirigirse hacia allí.

¿Has oído eso?

Todos se reparten por una superficie bastante grande y cierran los ojos. Durante unos minutos, los jugadores aguzan el oído e intentan percibir los ruidos y los sonidos. Tienen que fijarse en quién los produce y en si se trata de ruidos naturales o artificiales. A continuación, los participantes cambian impresiones: ¿Qué ruidos eran naturales? ¿Cuáles no? ¿Qué sonaba agradable, y qué desagradable? ¿Qué sonido debería durar más? ¿Cuál ha sido tu sonido favorito? ¿Había sonidos «duros» y sonidos «blandos»? ¿Quién sabe imitar uno de los ruidos escuchados?

No hace falta ningún material

Se puede jugar en cualquier parte

Sugerencia

Los ojos cerrados ayudan a concentrarse más en los sonidos.

¡La de cosas que hay en la ciudad!

Se fija una zona de juego. Durante una hora, todos los jugadores se reparten por ella para descubrir el mayor número posible de plantas y anotar dónde se encuentran. Las macetas de los balcones no cuentan, sino exclusivamente las plantas que se hallen en el espacio público. Quien descubra más, se convierte en el maestro del medio ambiente.

Material

Papel y lápiz para todos

Se puede jugar en cualquier parte

Dequierda e izrecha

Todos los jugadores se ponen en corro y se numeran alternativamente «uno» y «dos». Los que han dicho uno son «dequierdas»; los que han dicho dos son «izrechas». Un jugador de cada grupo toma una pelota. Tras la señal de comienzo, el grupo «dequierda» echa la pelota hacia la izquierda, y el grupo «izrecha» hacia la derecha. Gana el grupo cuyo jugador inicial recupere la pelota después de tres rondas completas. Se puede añadir dificultad al juego lanzando la pelota, por ejemplo, de cabeza o por debajo de las piernas.

Material

Dos pelotas

Lugar

Una superficie de juego despejada

Material

Papel para anotar, papel para hacer los aviones, un aro (por ejemplo, de varas de mimbre), lápices

Se puede jugar en cualquier parte

¡A volar!

Los jugadores construyen unos cuantos aviones de papel de formas diferentes y comprueban su capacidad de vuelo. En la zona de juego convenida se marcan distintas estaciones. Cada jugador tiene que cumplir una serie de tareas con el avión elegido. El que logre hacerlas todas, obtiene cinco puntos; el que consiga hacer la mitad, tres puntos, y el que sólo cumpla una tarea, un punto.

Ejemplos

- Que el avión atraviese un aro de varas de mimbre.
- Que aterrice sobre una superficie del tamaño de una hoja Din A4.
- Que el avión transporte un palito hasta una distancia determinada.
- Que trace una curva.
- Que vaya y vuelva por determinada línea aérea.
- Que recorra un tramo lo más amplio posible.
- Que vuele lo más alto posible (a modo de orientación, se pueden marcar las alturas en una pared).
- Que dé contra un objeto lanzado, antes de que éste caiga al suelo.

Material

Un disco pintado por las dos caras (encima negro y debajo blanco) de un diámetro de 15 cm

Lugar

Una superficie despejada

Clarilandia y Oscurilandia

Se marca una superficie de juego con dos campos. Las líneas del fondo de los campos son los «refugios». Se forman dos grupos, los países «Clarilandia» y «Oscurilandia», que se colocan formando una hilera en el centro del campo de juego. El director lanza entonces el disco al aire. Si éste aterriza con la parte negra hacia arriba, entonces los jugadores de Oscurilandia intentarán tocar a los otros con la mano a la velocidad del rayo. Si queda hacia arriba la parte blanca, entonces el que intenta atrapar es el otro grupo. Los que escapan pueden intentar llegar a su refugio, donde estarán seguros. El que sea alcanzado cambiará de campo en la siguiente ronda. Cada nueva ronda empieza siempre en la línea del medio. Cuando ya sólo queda un país, termina el juego.

Juegos
en el agua

Jugar alegremente en el agua no sólo es divertido, sino también refrescante.

Champán sin burbujas

Todos los jugadores están dentro del agua. Uno sostiene el barreño vacío por encima de la cabeza. Entonces los demás intentan llenar el barreño salpicándolo de agua. Cuando se llena, el que lo sostiene vierte el agua por encima de otro jugador, que de este modo pasa a ser el siguiente en sostener el recipiente.

A partir de 3 jugadores

10

Material

Un barreño de plástico

Lugar

Aguas de poca profundidad (lago o mar) o piscina descubierta

¿Quién vacía la botella?

Cada jugador llena de agua su botella y la coloca de pie a unos 5 metros de distancia. Desde una línea previamente marcada, los jugadores intentan derribar con su pelota las botellas de los otros, para que pierdan agua. Si se vuelca una botella, su dueño puede acercarse corriendo para volver a ponerla de pie. En cuanto se vacía una botella, termina el juego, y el jugador cuya botella contenga más líquido es el ganador.

A partir de 3 jugadores

15

Material

Por cada jugador una pelota blanda y ligera, una botella irrompible de 1 litro, agua

Lugar

Cualquier suelo blando

Pez venenoso

Dos equipos se colocan uno frente al otro. Un equipo, a base de formar olas, hace avanzar el balón —el pez venenoso— hasta el borde de la piscina. Nadie puede tocar el peligroso pez. El otro equipo lanza con buena puntería las pelotas para evitar que el pez venenoso alcance el borde de la piscina.

A partir de 4 jugadores

10

Material

2 pelotas de plástico que floten, un balón hinchable

Lugar

Aguas seguras y de poca profundidad, en una piscina descubierta o en una piscinita para no nadadores

Conversación subacuática

Al principio, el director mantiene los textos ocultos. Luego se forman dos equipos. Cada mitad de un equipo se coloca enfrente de la otra, a los lados de la zona de juego convenida, donde se les proporcionará papel y lápiz. El primer jugador de cada medio equipo recibe un texto que ha de leer (cada uno, uno distinto) para sus adentros. Cuando se da la señal de salida, salta al agua un jugador de cada medio equipo, bucea y, al encontrarse con el miembro de su propio equipo, se comunican mutuamente sus textos. Luego vuelven nadando rápidamente hacia el punto de partida y anotan el «refrán» que les han contado debajo del agua. A continuación, hacen lo mismo los demás jugadores. Cuando han terminado de sumergirse todos los jugadores de un equipo y han anotado los textos, el director da por concluido el juego y examina los resultados. Si los textos coinciden, habrá un grupo claramente vencedor. En caso contrario, gana el grupo que tenga más puntos: Por terminar los primeros se obtienen tres puntos; por apuntar el refrán correctamente, un punto. Luego se suman todos los puntos de cada equipo.

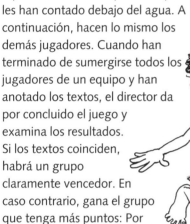

Material

Papel y lápices; por cada jugador, un papelillo con dichos o refranes breves y graciosos

Lugar

Lago, mar, piscina al aire libre

Sugerencia

Ejemplos de refranes subacuáticos:
- *Más vale pájaro en mano que ciento volando.*
- *No por mucho madrugar amanece más temprano.*

El tesoro de la Atlántida

Los jugadores se dividen en dos grupos. El primer jugador de cada grupo recibe un balón hinchable, que es una parte del «tesoro de la Atlántida». Tras la señal de salida, los equipos forman un corro debajo del agua y se pasan el tesoro tres veces de un jugador a otro. El tesoro no puede subir en ningún momento a la superficie del agua. Si el balón se escurre y sube a la superficie, el equipo obtiene un punto negativo. Gana el grupo cuyo jugador inicial, después de las tres rondas, recupere el balón, y el que obtenga el menor número de puntos negativos.

Material

2 balones hinchables más bien pequeños

Lugar

Piscina, un lago de poca profundidad

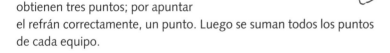

A partir de
1 jugador

30

Material

*Materiales naturales como palos,
ramas, ramitas, musgo, paja,
corteza o piedras*

Lugar

*La orilla de un lago, de un río o
de un arroyo, pero también un
charco grande*

A partir de
4 jugadores

5

Material

Globos de diferentes colores

Lugar

Piscina u orilla de un lago

A partir de
2 jugadores

5

Material

1 pelota de ping-pong por jugador

Lugar

Piscina o un lago poco profundo

Juegos en el agua

Un castillo en el agua

Cada jugador, el futuro dueño del
castillo, ha de construir un castillo
rodeado de agua, con sus torrecillas,
sus puentes y sus arcos, utilizando
únicamente materiales naturales. Quizá surja también un puente
levadizo o unas murallas con adarve. Se pueden emplear palos
ensamblados con tiras de corteza o tallos de hierba trenzados.
Las paredes se construyen a base de piedra, barro y arena mojada.
A modo de soportes, se pueden clavar en el suelo unas ramas y
apuntalarlas con piedras. También es de utilidad el musgo
entreverado con unas ramitas que le den más consistencia.

La medusa

Para empezar, cada jugador elige un globo. Todos han de tener claro
qué globo pertenece a cada cual. Colocados uno al lado de otro en el
borde de la piscina o en la orilla de un lago, cada uno pone su globo
sobre la superficie del agua. Tras una señal, todos intentan alejar lo
más posible de sí su propio globo, como si
fuera una repugnante medusa.
No se puede hacer uso
de las manos. El
jugador cuyo
globo llegue más
lejos habrá
ganado.

El huevo flotante

Metidos en el agua, los jugadores reciben una pelota de ping-pong
cada uno y la colocan ante ellos en el agua. Se fija una meta, como por
ejemplo el borde de enfrente de la piscina o alguna delimitación del
lago. Tras la señal de salida, todos echan a nadar (o a andar si les cubre
muy poco) soplando la pelotita hasta que cruce la línea de meta. No se
pueden utilizar las manos. Aquel cuya pelota llegue antes a la meta es
el ganador.

Buceando en busca del tesoro

Uno hace de rey de las aguas y, sin que los otros lo vean, esparce las piedras por el agua. Los jugadores se reparten entre «exploradores» y «aventureros». Cuando el rey de las aguas da la señal, todos bucean en busca de las valiosas joyas. En cuanto un equipo crea haber sacado a la superficie el tesoro más valioso, se lo comunicará al rey de las aguas. Entonces éste concluye la búsqueda del tesoro y examina qué grupo ha reunido el tesoro más preciado. El oro es lo más valioso. Dos piezas de plata equivalen a una de oro. Tres piedras sin valor cuentan como una de plata, y cinco piedras sin valor equivalen a una de oro. El que saque más puntos, habrá ganado el concurso de submarinismo.

Material

20 piedrecitas envueltas en papel de aluminio; otras tantas envueltas en papel dorado o marcadas con una «O» (de oro); 20 piedras sin marcar

Lugar

Aguas de poca profundidad de un lago, del mar o de una piscina descubierta

¡Hombre al agua!

El director del juego forma dos equipos que, a su vez, se dividen en dos medios grupos. Cada medio grupo se pone enfrente del otro medio en los lados opuestos del tramo de natación. Los jugadores han de tener claro cuál es el recorrido que deben cruzar a nado. Los dos medios equipos de un lado de la superficie de juego reciben, cada uno, un pantalón, una chaqueta y un sombrero.

Tras la señal de salida, el primer jugador de cada medio equipo se pone la ropa, nada hasta el otro lado y, al llegar allí, se vuelve a quitar la ropa mojada. Su compañero de la otra mitad del equipo agarra la ropa, se la pone y nada en sentido contrario. Así hasta que todos los jugadores de un grupo hayan recorrido una vez el tramo con la ropa puesta. El equipo que acabe antes y cuyo último nadador se haya quitado la ropa mojada es el vencedor.

Material

2 pantalones viejos (lavados), 2 chaquetas viejas (lavadas), 2 sombreros viejos (limpios)

Lugar

Un tramo de natación de unos 6 metros en un lago, en el mar o en la piscina

45

A partir de
4 jugadores

10

Juegos en el agua

La bola del horror

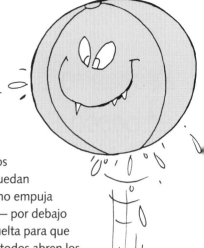

Material

Balón de agua

Lugar

Aguas poco profundas en un lago, en el mar o en una piscina al aire libre

Se fija una superficie en el agua de unos 5 x 5 metros en la que los jugadores puedan estar de pie. Todos cierran los ojos y uno empuja el monstruo marino —un balón ligero— por debajo del agua. Tras la señal convenida, lo suelta para que salga disparado hacia arriba. Entonces todos abren los ojos y van en busca de la «bola del horror». Quien la atrape se convierte en el monstruo marino y hace que el balón salga de nuevo disparado. Al que le alcance deberá quedarse quieto ahí mismo. Los jugadores que hayan conseguido escapar podrán liberar a los alcanzados tocándoles con la mano. Los monstruos marinos sólo pueden nadar o sumergirse, pero no andar. El juego termina cuando todos han sido alcanzados o cuando ya nadie tiene ganas de seguir jugando.

A partir de
3 jugadores

10

Movimiento acuático

No hace falta ningún material

Lugar

A la orilla de un río o arroyo

En la orilla de un río, todos se quedan escuchando el ruido del agua que corre. Conviene que los jugadores cierren los ojos para concentrarse mejor. Han de respirar con tranquilidad y regularidad para sentir la cadencia del agua que fluye, lo que resulta muy relajante. El que quiera puede tumbarse a lo largo del río o del arroyo, de tal modo que el agua fluya en dirección hacia sus propios pies. Al cabo de un rato, todos intentarán hacer un movimiento que forme una unidad armoniosa con el río y con el sonido del agua. Pueden ser movimientos lentos y amplios, cuando se trata de un río tranquilo que apenas avanza. También pueden hacerse rápidos movimientos giratorios si, por ejemplo, el agua se arremolina en torno a una roca. Asimismo existe la posibilidad de hacer movimientos breves y bruscos, imitando así el chapoloteo de la corriente rompiendo en la orilla.

Mazmorra acuática

A excepción de un preso, todos forman en la piscina o en un lago la mazmorra acuática de Neptuno, el rey del mar. Se distribuyen por toda el área de juego a modo de «lienzos de la muralla». El prisionero tiene que atravesar esa zona desde la línea de salida hasta la meta convenida, por ejemplo, el lado de enfrente. El preso cierra los ojos y no podrá abrirlos hasta que recupere la libertad, es decir, cuando alcance la meta. Intentará atravesar a nado o andando la lúgubre mazmorra acuática sin tocar las murallas. Si las roza, tendrá que intentarlo de nuevo desde el principio. Al tercer roce, cambia de papel con el jugador rozado.

No hace falta ningún material

Lugar

Piscina o lago

Variante
Cuando el prisionero se acerque demasiado a las murallas, éstas podrán resoplar y ayudar así al «ciego».

Desayuno en la piscina

Todos los jugadores se ponen uno al lado de otro dentro del agua y cada uno recibe un servicio de mesa completo. El lado de enfrente de la superficie del agua es la meta, que no debe estar a más de 10 metros de distancia. El tramo puede delimitarse con una cuerda. Cada «camarero acuático» colocará el plato, los cubiertos y el vaso encima de la tabla. Tras la señal de salida, todos intentarán llevar la «bandeja» completa hasta la meta sin que se les pierda nada por el camino. Si a algún jugador se le cae algo al agua, tiene que pararse inmediatamente y volver a colocarlo todo; sólo entonces podrá continuar la carrera. El primero que llegue a la meta gana.

Material

Por cada jugador: 1 tabla que flote, 1 vaso, un plato y cubiertos de plástico; eventualmente, 1 cuerda para delimitar la superficie de juego

Lugar

Una piscina o un lago poco profundo

10

Material

Por cada jugador: 1 lata de pescado en conserva limpia y sin tapa, 1 palmatoria, 1 atomizador (1 frasco vacío de limpiacristales), cerillas, rotuladores resistentes al agua

Lugar

La piscina, la orilla de un lago de poca profundidad o una piscinita para niños

Juegos en el agua

Palmatorias flotantes

Cada jugador marca con rotulador una lata de conservas de pescado vacía y coloca dentro una palmatoria con la vela encendida. Luego se ponen los barquitos en la superficie del agua. Los jugadores se colocan a una distancia de aproximadamente 1,5 metros de los botes. Todos llenan de agua su atomizador. Tras una señal, intentarán rociar con el agua los botes de los demás hasta que se les apague la llama de la vela. Pero la dificultad reside en que las latas han de seguir flotando en la superficie del agua y no deben hundirse. Para ver quién es el ganador, el jugador que acierte a dar en la vela obtendrá un punto. Si el bote se hunde, su dueño ganará dos puntos.

8

Material

Un periódico

Lugar

Piscina o lago

Nadando con el periódico

Los jugadores son los «nadadores informados». Cada uno recibe una página de un periódico. La tarea consiste en llevar la página lo más seca posible hasta la meta. Tras la señal, todos parten desde la línea de salida. Gana el jugador que antes llegue a la meta convenida y cuya página del periódico siga seca. El director del juego se encargará de hacer una valoración justa. Podrá dar, por ejemplo, de 1 a 3 puntos según el orden de sucesión de llegada a la meta, así como valorar el grado de humedad de los periódicos.

Juegos con arena y piedras

En casi cualquier lugar de la naturaleza encontramos arena y piedras como material de juego. Existen juegos clásicos que ya conocían nuestros abuelos, juegos de destreza procedentes de todo el mundo y otras muchas maneras de divertirse con estos materiales tan sencillos.

Material

Por cada jugador: 1 piedra del tamaño del puño; una piedra pequeña rara. Para la variante: 3 piedras del tamaño de un puño por cada jugador

Lugar

Cualquier parte en la que haya un suelo blando que soporte el impacto de las piedras arrojadas

Material

Piedras; eventualmente, un objeto irrompible

Se puede jugar en cualquier parte

Petanca con piedras

La piedra rara, que servirá de objetivo, se lanza a unos metros de distancia. El primer jugador arroja su piedra en dirección a la meta. Luego le sigue el segundo jugador. La piedra que más se acerque al objetivo se queda donde está; la más alejada se retira. Luego juega el siguiente. También entonces se deja la piedra más próxima a la meta donde está y se quita la otra. Una vez que han lanzado todos, gana el jugador cuya piedra haya quedado al final más cercana al objetivo.

Variante

Cada jugador busca tres piedras y las marca con un signo. Las piedras lanzadas se quedan donde están hasta el final. Si juegan tres, al final las tres piedras que estén más cerca del objetivo obtienen puntos; si juegan cinco, obtienen puntos cinco piedras, etc. Todas las demás piedras no obtienen ningún punto. La piedra ganadora cuenta dos puntos y las otras un punto cada una. Puede ocurrir que varias piedras pertenezcan al mismo jugador, en cuyo caso éste obtendrá los puntos correspondientes. El que tenga una puntuación más alta gana.

Lanzamiento con puntería

Se marca una meta que puede ser un círculo pintado o raspado en el suelo, una pequeña hondonada, un recipiente, una portería, un objeto o una torrecita de piedras. Se trata de dar al objetivo, por ejemplo, derribando la torre. Quien lo consiga obtiene un punto y ha de recomponer la meta para el siguiente jugador. Si la piedra se queda al lado, no se obtiene ningún punto. Tras un número convenido de rondas, gana el que haya sacado más puntos.

Variante

Se juega hasta que alguien consiga 10 puntos.

El montón más alto y con más piedras

Hay que levantar una torre a base de piedras. La condición es que se construya lo más alta posible y, al mismo tiempo, utilizando el máximo número de piedras posible. Se trata, pues, de establecer una relación equilibrada entre el tamaño de las piedras. No se deben utilizar demasiadas piedras pequeñas, porque entonces la torre no crece en altura, pero tampoco demasiadas piedras grandes, porque entonces el número de piedras empleadas será escaso. Este juego requiere mucha paciencia y mucho tacto.

Material

Muchas piedras diferentes

Se puede jugar en cualquier parte

Construcción de una torre

Un jugador amontona piedras hasta formar una torre. Los demás jugadores, uno tras otro, dicen si se puede colocar otra piedra. Por cada «sí», el jugador ha de poner una piedra. Si se cae una piedra o se derrumba toda la torre, la siguiente torre la construirá el último jugador que quería añadir una piedra.

El que diga que no se deben poner más piedras, estará insinuando que la torre se va a caer. Pese a ello, el constructor de la torre colocará otra piedra. Si la torre se cae, él mismo tendrá que construir la siguiente torre. Si la piedra se sostiene, el jugador que había frenado la obra se verá obligado a continuar construyéndola.

Material

Muchas piedras distintas

Se puede jugar en cualquier parte

Variante 1

También se puede jugar colocando cada jugador, uno tras otro, una piedra. Quien no quiera poner más, será porque cree que el siguiente jugador va a derribar la torre. Si esto no ocurre, el del pronóstico equivocado obtiene un punto negativo, y el valiente jugador que ha continuado con la construcción de la torre, un punto positivo. Si por el contrario la torre se cae, el del pronóstico acertado obtiene un punto positivo, y el jugador que ha provocado la caída, uno negativo.

Variante 2

Los jugadores pueden levantar la torre en equipos de a dos e ir colocando las piedras alternativamente. ¿Qué equipo construye la torre más alta?

A partir de
1 jugadores

15

Material

Cinco piedrecitas pequeñas, del tamaño de una almendra

Se puede jugar en cualquier parte

Atrapar piedrecitas al vuelo

Se ponen cinco chinas en fila. Con una mano se toma la primera piedra, se lanza al aire y se atrapa. Luego se lanza la piedra hacia arriba, se toma la segunda piedra y se atrapa la piedra lanzada con la misma mano. Así hasta que las cinco piedrecitas hayan estado en el aire y hayan vuelto a ir a parar a la mano.
Este juego se juega, con distintas variantes, en casi todo el mundo.

Variante 1
Se atrapan las piedras con el dorso de la mano.

Variante 2
Se atrapan las cinco chinas con el dorso de la mano y se deja rodar con cuidado una piedra tras otra por el suelo. Luego se forma con una mano una especie de portería y, con la otra mano, se van pasando por ella las piedrecitas. El juego no termina hasta que el jugador haya logrado hacerlo todo sin cometer ningún fallo.

A partir de
2 jugadores

10

Material

Por cada jugador: 2 chinas del mismo tamaño

Lugar

Cualquier parte en que se pueda hacer un hoyo en el suelo

Bajando al foso

Se hace un pequeño agujero en el suelo. Todos los jugadores reciben dos piedrecitas. Quien acierte a meter la primera piedra en el hoyo, tendrá que «confirmarla» para que cuente un punto, metiendo también la segunda en el agujero. Si el jugador consigue confirmar su acierto, saca las dos piedras del foso, y juega el siguiente. Si la primera piedra de un jugador se queda al lado del hoyo, no obtendrá ningún punto, sino que será el turno del siguiente jugador.

Variante
Un jugador lanza las dos piedras, una tras otra, y cuenta cada acierto.

Una ciudad de arena

Todo el mundo conoce los castillos de arena. Pero ¿cómo sería la ciudad de arena del futuro? Si juegan varios, antes de empezar a construirla deberían ponerse de acuerdo sobre cómo proyectar y construir casas y torres supermodernas, puentes temerarios e intrincados túneles. Una vez terminada, uno de los jugadores debe pronunciar un conmovedor discurso inaugural de fundación de la ciudad.

Material

Mucha arena húmeda

Lugar

Un cajón de arena mojada por la lluvia, la playa o un montón de arena húmeda

¿Cuál era?

Con los ojos cerrados, cada jugador recibe del director del juego una piedra. Los jugadores tienen que palparla, tal vez olerla y aprenderse sus particularidades. Luego se reúnen las piedras y se juntan con otras cuantas. Los jugadores siguen con los ojos cerrados. El director reparte las piedras y cada jugador tiene que volver a encontrar su piedra sólo mediante el tacto.

UNA PIEDRA. ¿ES LA MÍA?

Material

Diferentes piedras; para la variante: palitos, trozos de corteza u hojas

Se puede jugar en cualquier parte

Variante
También se pueden emplear diferentes palitos, trozos de corteza u hojas. Si proceden del mismo árbol o arbusto, tienen que diferenciarse mucho en el tamaño.

Amenaza de ruina

Entre dos montoncitos de piedras se mete una hoja, de tal modo que enlace los dos montones como si fuera un puente y que debajo quede un hueco. Un jugador pone una piedra sobre la hoja. Luego, cada jugador apuesta cuántas piedras más se pueden poner hasta que la hoja se rompa, se suelte de las piedras o sencillamente se caiga. ¿Quién ha calculado mejor la amenaza de ruina?

A partir de 3 jugadores

5

Material

Numerosas piedras, una hoja grande

Se puede jugar en cualquier parte

A partir de 2 jugadores

15

Ésta es

Los jugadores se sientan en corro. En el centro se colocan unas 15 piedras y fragmentos de roca diferentes. Un jugador cierra los ojos. Otro le describe con todo detalle una de las piedras. Entonces el jugador «ciego» ha de intentar encontrar la piedra descrita mediante el tacto.

Variante
Se describen palitos, hojas o cortezas.

Material

Diferentes piedras; para la variante: palitos, hojas o trozos de corteza

Se puede jugar en cualquier parte

A partir de 6 jugadores

15

Sin interrupción

Entre todos los jugadores deciden qué motivo quieren dibujar en la arena. Puede ser un paisaje montañoso, un vehículo, un animal, etc. Los jugadores dibujan el motivo en la arena con un palo. No está permitido pararse, interrumpir una línea empezada ni repasar por segunda vez una línea ya dibujada. ¿Quién es capaz de hacer un dibujo en la arena sin interrupción?

Material

Un palo

Lugar

Cualquier parte en que se pueda dibujar algo en el suelo

Relevos en la arena

Se forman dos equipos que competirán entre sí. Los jugadores de cada grupo se ponen en fila. El primero agarra de un montón grande de arena, que esté a cierta distancia, dos puñados de arena y se los pasa al siguiente jugador de su grupo. El segundo jugador pasa la arena, a ser posible sin perder nada, al siguiente de la fila, y éste a su vez al siguiente, etc. El último de la fila echa la arena al cubo, corre hasta el montón grande y toma otros dos puñados de arena. Se los pasa al primer jugador de la fila y se queda allí, al comienzo de la fila. Todos los siguientes jugadores de un equipo proceden de igual manera, hasta que el jugador inicial vierta la arena en el cubo. En ese momento concluye el juego. ¿Qué grupo ha acumulado más arena?

Material

Arena, cubo

Lugar

Cualquier sitio en el que haya suficiente arena fina amontonada

Esculturas de piedra

Los jugadores son los artistas encargados de crear esculturas a base de piedras de diferentes dibujos y colores. Con piedras claras, oscuras, a rayas, con puntos, grises, marrones, negras, blancas, mates, brillantes, etc. se pueden configurar esculturas preciosas. Para diseñar estas obras de arte también se puede emplear arena de diferentes tonos.

Material

Piedras de todo tipo; eventualmente, también arena

Lugar

Cualquier sitio donde haya piedras

A partir de
1 jugador

45

Material

Guijarros, arena, tierra; también, fotos de laberintos famosos

Se puede jugar en cualquier parte

Sugerencia

Un laberinto es un camino intrincado que, sin embargo, conduce a la salida. En un dédalo se puede uno perder fácilmente, ya que existen diferentes caminos e incluso callejones sin salida.

A partir de
3 jugadores

20

Material

Piedras

Se puede jugar en cualquier parte

A partir de
4 jugadores

15

Material

Varias piedras del tamaño de una moneda de 2 euros

Se puede jugar en cualquier parte

Juegos con arena y piedras

Laberinto

Los laberintos han ejercido siempre una tremenda fascinación. Hay algunos muy famosos, como por ejemplo el mayor laberinto de césped de Europa, el de Saffron Walden, en Inglaterra, o el de Chartres, en Francia. Con los materiales disponibles, cada jugador intentará reproducir uno de estos laberintos o inventarse uno nuevo.

Hilera de piedras

Cada uno busca dos piedras curiosas y las observa detenidamente. Luego, todos los jugadores ponen sus piedras formando una larga hilera, que han de aprenderse de memoria. Un voluntario se da la vuelta y los restantes jugadores cambian de sitio tres o cuatro piedras. Estos cambios debe percibirlos perfectamente el jugador que estaba de espaldas.

Para jugadores muy avanzados bastará con dar la vuelta a las piedras.

Una piedra en el zapato

Un jugador se da la vuelta mientras, a escondidas, se reparten piedras pequeñas entre algunos de los jugadores. El que recibe una piedra, la esconde en su zapato. El jugador que estaba de espaldas tiene que averiguar quién tiene una o varias piedras en el zapato. Para ello puede preguntárselo a los jugadores y adivinarlo, o bien pedirles que le rodeen uno tras otro. Luego hará una apuesta sobre quién lleva una piedra en el zapato. ¿Ha acertado? Acierte o no, después le toca el turno a otro adivinador.

Juegos con lluvia o nieve

No existe el mal tiempo, sino sólo una ropa inadecuada. Y hay muchas ideas graciosas que utilizan la lluvia, el hielo o la nieve como material de juego.

10

Material

Charcos de lluvia, ropa impermeable, botas de goma

Lugar

Cualquier sitio en el que haya charcos.

Sugerencia

Aunque la ropa se les quede empapada y sucia de los salpicones, el juego resulta muy divertido siempre y cuando los niños sepan que no los van a reñir por mancharse tanto.

Salto de longitud en charcos

Ante un charco muy grande de agua se marca un punto para el inicio del salto. Los jugadores forman dos grupos. Comienza uno de ellos. El primer jugador salta desde la marca hacia el charco. Desde donde haya llegado salta luego el segundo jugador (con o sin carrerilla), y donde aterrice éste será el punto de partida del siguiente miembro de su grupo. El último del primer grupo se queda quieto en su punto de aterrizaje. Entonces salta el primer miembro del segundo grupo desde el punto de partida, etc. Gana el grupo que haya saltado el tramo más largo.

5

Material

Charcos de lluvia, botas de goma para todos

Lugar

Donde haya charcos grandes

A no pisar el charco

Los jugadores forman un corro alrededor de un charco, tomados de la mano. Tras la señal de salida, cada uno intenta meter a los otros en el charco procurando no pisar él el agua.

A secar el charco

Dos grupos compiten por secar un charco. Para ello sólo se pueden utilizar las manos. Tras la señal de inicio, todos achican el agua del charco o la extienden con la palma de las manos hasta que desaparezca. Gana el grupo que antes haya secado su superficie de agua.

Material

2 charcos de lluvia del mismo tamaño

Se puede jugar en cualquier parte

¿Quién llega seco?

A este juego sólo se puede jugar cuando llueve mucho. Se fija una meta, que puede ser un claro en el bosque, el tocón de un árbol, la estación, una librería, la entrada de unos grandes almacenes... Todos los jugadores salen del mismo sitio y tienen que llegar a la meta lo más secos posible. No se permite llevar paraguas. Pero los jugadores pueden saltar de una marquesina a otra o hacer equilibrios a lo largo de las cornisas que sobresalgan de las casas. También vale utilizar «tejados» naturales como, por ejemplo, las hojas de un árbol o un puente, para pasar por debajo. ¿Quién llega más seco a la meta?

Material

Tiempo lluvioso

Se puede jugar en cualquier parte

¡Salvad el Titanic!

Cada uno hace un barquito de papel con la hoja. Un charco grande hará las veces del mar embravecido. Se fija un punto de salida y otro de llegada. Tras la señal de partida, los jugadores soplan por un tubo flexible sus barcos para hacerlos avanzar. ¿Qué barquito llega antes a la meta sin haberse hundido?

Material

Hojas de tamaño Din A4; por cada jugador: 1 tubo flexible de aproximadamente 1 metro de longitud o un trozo de manguera de goma

Lugar

Cualquier parte donde haya grandes charcos de lluvia

Chapoteando

Material

Piedras grandes

Lugar

Charcos de lluvia grandes

Cada jugador busca una piedra grande, la coloca en el charco de agua y se sube encima con los dos pies. Entonces cada uno debe procurar que otro jugador, de la manera que sea, pise el agua, es decir, abandone su piedra. Todos pueden atraer al otro con las promesas más disparatadas, haciendo toda clase de muecas, insultándolo, asustándolo o empujándolo con las manos o con los brazos para que se caiga. El que permanezca más tiempo sobre su piedra será el ganador.

Golf en el charco

Material

Por cada jugador: 1 bote de conservas vacío sin tapa, 3 piedras pequeñas y 1 palo

Lugar

Grandes charcos

Colocados en el borde exterior de un charco grande, cada jugador pone su bote de conservas vacío de tal modo que la abertura quede orientada hacia el centro del charco. En el borde de enfrente, cada uno deja sus tres piedras pequeñas en el suelo formando una hilera y agarra un palo resistente. El juego da comienzo con un silbido. A través del charco, todos intentan meter con el palo sus tres piedras en el bote, cada cual en el suyo. Las piedras sólo pueden ser empujadas o lanzadas. Gana el que haya metido las tres piedras en su bote.

Variante

Cada dos jugadores forman un equipo. Uno de los dos cierra los ojos y mueve el palo como le indica el otro. También aquí gana el equipo que meta las tres piedras en el bote. Luego pueden cambiarse los papeles.

Zapatos de nieve

De una mimbrera, por la base del tallo, se cortan las varas necesarias con una navaja afilada o unas tijeras de jardín. Luego se doblan en forma de raqueta de tenis y se fijan los dos extremos con un cordón, para que queden con esa forma. Entonces se rellena la superficie interior resultante con palitos, de modo que surja una rejilla. Con el cordón se hace un lazo en el medio de cada zapato de nieve, de manera que quepa dentro el calzado normal y el zapato de nieve quede sujeto. Una vez terminados estos curiosos zapatos, se pueden probar donde haya mucha nieve.

Material

Ropa de abrigo y mucha nieve, varas de mimbre, cordón, navaja; eventualmente, unas tijeras de jardín

Se puede jugar en cualquier parte

Paisajes de nieve

Para esta creación artística hay que llenar varios rociadores de plantas con agua de distintos colores. Luego, cada uno intentará crear un lindo paisaje en la nieve. Si se delimita la superficie con palitos o rascando con la mano en el polvo blanco, el «cuadro» surtirá mayor efecto.

Material

Ropa de abrigo y mucha nieve compacta, especias para añadir al agua, rociadores de plantas, pincel

Se puede jugar en cualquier parte

A partir de
2 jugadores

45-90

Material

Ropa de abrigo y mucha nieve dura

Se puede jugar en cualquier parte

Sugerencia

Para no perderse en un laberinto de verdad, basta con pasar una mano todo el rato por la pared de la derecha y no dejar de tocarla nunca. Después de dar largos rodeos, se llega automáticamente a la salida.

A partir de
3 jugadores

5

Material

Nieve, palito, un trapo pequeño

Se puede jugar en cualquier parte

Juegos con lluvia o nieve

El minotauro tiene frío

Cuentan que en el laberinto de Knosos, en la isla griega de Creta, vivía antiguamente un monstruo terrible, el minotauro. Seguro que en un laberinto de nieve el monstruo no habría aguantado mucho tiempo, sino que se habría muerto de frío. Ahora se trata de construir un laberinto de nieve con las manos. Al final, todos comprobarán cuál es el camino más recto hacia la libertad.

Variante
También se pueden hacer laberintos de nieve pisando con los zapatos o con un palo.

Ésta es la cumbre

Se forman dos grupos. Cada uno intenta hacer lo más deprisa posible la montaña más alta con la nieve disponible. Al cabo de unos 5 minutos, el director del juego da por concluido el concurso. En la cumbre de los ganadores se colocará una banderita hecha por ellos mismos.

Variante 1
Se procura que el montón de nieve tenga la máxima estabilidad. Al final, la montaña deberá poder sostener a un miembro del grupo.

Variante 2
Desde la montaña de nieve hay que llegar hasta un punto elevado, como por ejemplo la repisa de una ventana o una marca en la pared de una casa.

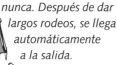

62

¡A por el gorro!

Uno lanza un gorro al aire y los demás
jugadores intentan darle con bolas de nieve.
El que lo consiga, cosechará
los laureles.

Material

Gorro

Se puede jugar en cualquier parte

Balón de nieve

Los jugadores forman un corro en una superficie en la que haya
nevado mucho. El balón ha de moverse en círculo sin utilizar las
manos. Salvo las manos, puede utilizarse cualquier parte del cuerpo.
Quien pase el balón a otro jugador tiene que formar rápidamente una
bola de nieve y dejarla lejos, a su espalda. Luego se reincorporará al
juego. Cuando ya todos se hayan cansado de jugar, pueden librar una
batalla campal con las bolas de nieve o bien hacer con ellas, entre
todos, una escultura divertida.

Material

Balón de agua

Lugar

*Una superficie despejada con
mucha nieve*

Transporte de bolas de nieve

Aquí lo que importa es la destreza. Se forman parejas. Los dos
miembros de cada pareja sostienen entre las caderas una gran bola de
nieve. Sin utilizar las manos, los equipos de a dos han de llevar la bola
de nieve hasta una meta. Ganan los que al final lleguen a la meta con
más nieve.

Material

Nieve

Se puede jugar en cualquier parte

A partir de
1 jugador

60

Material

Ropa de abrigo y mucha nieve dura, palmatorias, un rociador de plantas

Se puede jugar en cualquier parte

El efecto de la luz se ve mejor al atardecer o de noche.

Sugerencia

Hay que tener cuidado con el fuego. La ropa de invierno moderna suele llevar fibra artificial, que se quema con facilidad.

A partir de
2 jugadores

10

Material

Ropa de abrigo, en especial guantes gruesos; un trapo rojo y un trozo de cartón deslizante para cada uno

Lugar

Una superficie helada que sea segura

Luces de la ciudad

Sobre la nieve dura se construye una ciudad medieval con sus casitas, sus torres y sus murallas. Para que por la noche se hiele, lo mejor es rociarla con agua. Al día siguiente, se coloca en cada ventana una palmatoria con la vela encendida. Cuándo oscurezca, la ciudad quedará preciosa.

Variante
Con bolitas pequeñas de nieve, los jugadores intentan uno tras otro dar a las velas y, de este modo, apagar las luces.

Culito helado

En una superficie helada se traza un círculo y se pone un trapo rojo en el centro. A unos 5 metros de distancia, se colocan todos los jugadores alrededor de ese círculo. Tras oír la señal, todos se sientan rápidamente en su cartón deslizante y avanzan con las manos hacia el centro del círculo. El que primero levante el trapo habrá ganado.

Tobogán

Entre todos construyen sobre la nieve dura un tobogán con muchas curvas, pequeñas subidas y largas bajadas. Al final, se rocía la pista con agua para que por la noche se afirme y se quede lisa. Luego se pueden hacer emocionantes carreras de canicas.

Material

Ropa de abrigo, mucha nieve, un rociador de plantas, canicas

Se puede jugar en cualquier parte

Lanzamiento de dibujos

Cada jugador prepara unas 30 bolas de nieve dura. Entonces el director del juego menciona una letra, un símbolo o un objeto. Éstos han de ser estampados en la pared con las bolas de nieve. Uno por uno lo intentarán. ¿Ha conseguido alguien que se reconozca en la pared el dibujo del objeto solicitado?

Material

Ropa de abrigo y nieve compacta

Lugar

Una pared oscura de una casa

Ejemplos de propuestas
Una X, una O, una L, un triángulo, un caldero de agua, una rueda, un sombrero, una hoja, un árbol, un animal conocido...

Una manguera helada

En una superficie helada se monta o se traza una pequeña pista. Ha de ser un tramo con leves obstáculos, curvas, recovecos y pequeños puentes. Los jugadores soplan por la manguera sus corchos en forma de corona a lo largo de la pista. Quien consiga hacerlo sin que se le salga el corcho de la pista marcada será agasajado con todos los honores.

Material

Para cada jugador: 1 trozo de manguera (de aproximadamente 1,20 m de longitud), algunos corchos en forma de corona

Lugar

Una superficie helada estable y segura

A partir de
4 jugadores

10

Rugby en la nieve

Se forman dos equipos que se puedan diferenciar muy claramente, por ejemplo, por la gorra o por la bufanda. En un campo delimitado con mucha nieve se marca para cada grupo una portería con un cubo pequeño, una lata grande o un agujero. Una pelota de tenis —a poder ser, de un amarillo chillón— es lanzada por el director del juego al centro del campo y todos se lanzan sobre ella. Pasándose la pelota uno a otro, los grupos deben intentar meterla en su respectiva portería. Todos han de procurar luchar por la bolita de una manera disciplinada y respetuosa. Si la pelota entra en la portería, el grupo que la haya metido obtendrá un punto, y el director del juego volverá a lanzarla al campo. Después de un tiempo acordado (unos 10 minutos), termina el juego.

Material

Pelota de tenis amarilla, 2 cubos o 2 latas grandes

Lugar

Una superficie nevada despejada

A partir de
2 jugadores

15

Pi

El conocido número de las matemáticas da nombre a este juego. Un jugador se pone en un campo de nieve grande y despejado y cierra los ojos. Desde su sitio, ha de trazar en la nieve profunda un círculo de unos 5 metros de diámetro. Cuando el «jugador Pi» crea haber trazado el círculo completo pisando en la nieve, se lo comunicará a los demás. Entonces abrirá los ojos y examinará su círculo. A continuación, puede intentarlo otro jugador.

No hace falta ningún material

Lugar

Una superficie despejada con mucha nieve

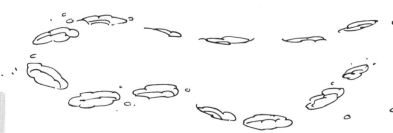

Tempestad en la cumbre

Primero se hace una montaña alta de nieve y se aplasta bien. Uno de los jugadores será el espíritu de la montaña encargado de custodiarla. Todos los jugadores necesitan un banderín. Deben intentar escalar la montaña y clavar su bandera en la cumbre. El espíritu de la montaña tiene que impedirlo. En cuanto toca a alguien, éste se congela y se queda quieto en esa postura. Cuando el espíritu de la montaña haya convertido a todos en hielo, o cuando ya nadie tenga banderín, termina el juego y puede empezar una nueva ronda.

Prohibido escalar la montaña

Material

Por cada jugador: un banderín

Lugar

Una superficie nevada y despejada

En busca del rastro

En la nieve se distinguen muy bien las huellas. Los jugadores exploran el entorno en busca de diferentes huellas e intentan averiguar de quién proceden. El rastro puede pertenecer a un conejo, una liebre, una comadreja, un corzo, un ciervo, un faisán, una ardilla, un perro, una persona, un yeti u hombre de las nieves, Wolpertinger...

Material

Ropa de abrigo y mucha nieve. Variante: un pie hecho a base de tablas serradas con algo para agarrarlo

Se puede jugar en cualquier parte

Variante

Uno hace de yeti, el hombre de las nieves, y sale con un poco de ventaja dejando un rastro con su gran pie de madera serrada. También vale dejar pistas falsas (desviarse y volver sobre la pista). Al cabo de 15 minutos, los otros jugadores salen para atrapar al yeti.

Tirantes para los muñecos de nieve

A partir de
1 jugador

60

Material

Ropa de abrigo y mucha nieve dura, colores hechos a base de agua mezclada con especias, rociador de plantas, pincel

Se puede jugar en cualquier parte

Sugerencia

Para grandes superficies se recomienda un rociador relleno de pintura

Los jugadores hacen varios muñecos de nieve: hombres, mujeres y niños. Luego, estas figuras «se visten» de colores, es decir, se pintan. Se les puede pintar una camisa a cuadros, una estola, una corbata o unos tirantes para los hombres o un pantalón con peto para los niños.

Lanzando bolas de nieve al balón

A partir de
2 jugadores

30

Material

Un balón de plástico ligero

Lugar

Una superficie nevada en una plaza o en un prado

Se marca en la nieve un camino con algunas curvas. Desde un punto de partida, los jugadores intentan uno tras otro dar al balón con bolas de nieve, de tal manera que el balón ruede por el tramo marcado sin abandonar el camino. Si el balón se sale, le tocará el turno al siguiente jugador. Antes, se hará una marca en el punto en que el balón se haya desviado del camino. Desde ahí partirá en la siguiente ronda el jugador que había errado el tiro. Cada jugador puede emplear tantas bolas de nieve como quiera, mientras los demás jugadores van contando los tiros. Gana el que menos bolas de nieve haya utilizado. Cada desvío de la pista se castiga con dos bolas de nieve, que al final se suman al número real de bolas utilizadas.

Variante

Se traza en la nieve una portería grande, o se marca con palos, piedras y bufandas. A unos 5 metros de distancia se dibuja en la nieve una línea de salida. Desde allí, los jugadores intentan uno tras otro meter el balón de plástico en la portería lanzando bolas de nieve con buena puntería.

Juegos al atardecer y por la noche

Cuando reina la oscuridad, los juegos se vuelven más emocinantes.

Cuarteto luminoso

Se fija una zona de juego grande. Cada jugador recibe un pequeño objeto. Nadie debe revelar lo que le han dado. Luego, todos se distribuyen por el área de juego. Tras una señal, da comienzo el juego. Mientras se juega, no se puede hablar, gritar ni silbar. Los jugadores tienen que formar grupos en función de su objeto. Para ello se puede iluminar el objeto con la vela o la linterna. Gana el grupo que antes se haya reunido al completo.

A partir de 6 jugadores

8

Material

Una vela o una linterna para cada uno; 4 cosas distintas de la naturaleza que diferencien a cada grupo, como por ejemplo piñas de abeto, trozos de corteza, hojas o piedras. De cada objeto debe haber tantos como para que cada jugador reciba uno, para así formar 4 grupos con el mismo número de miembros.

Lugar

La linde del bosque o una pradera, pero también en cualquier parte

Sugerencia

Este juego también puede tener como finalidad formar grupos para otros juegos.

Frío, frío...

Las cosas escondidas en la oscuridad pasan fácilmente inadvertidas porque no destacan del fondo. Un jugador inicial esconde dentro de la zona convenida un objeto oscuro. Una vez que regresa, comienza la búsqueda. Quien descubra antes el escondite será el siguiente en esconder un objeto.

A partir de 3 jugadores

8

Material

Un objeto más bien oscuro (un palo grueso, un sombrero, un ladrillo)

Se puede jugar en cualquier parte

Sugerencia

En la zona no tiene que haber hondonadas, alambradas ni otros peligros similares.

El hombre resplandeciente

Se fija una superficie de juego de unos 10 x 10 metros, que esté a oscuras. Uno de los jugadores hace de hombre resplandeciente y recibe la linterna. Con la linterna apagada, todos los jugadores cruzan el área de juego de acá para allá. Al poco tiempo, el de la linterna grita: «El hombre resplandeciente te ha visto el diente». Todos se quedan quietos. Entonces enciende la linterna, pero ya no la puede mover. Si el foco incide directamente sobre uno de los jugadores, éste será el siguiente hombre resplandeciente. De lo contrario, el antiguo tendrá que volver a intentarlo en la siguiente ronda.

Material

Una linterna

Se puede jugar en cualquier parte

La caza del lince

Se delimita una zona; todos los jugadores han de conocer bien esa delimitación. Dos jugadores son elegidos como linces. Se le da una linterna pequeña a cada uno y 10 minutos de tiempo para esconderse. Al cabo de 10 minutos, los dos linces lanzan un breve destello con sus linternas en dirección al punto de partida. Luego pueden cambiar de sitio. A partir de entonces, los linces tienen que lanzar un breve destello aproximadamente cada 3 minutos; luego pueden cambiar de escondite. Los jugadores, que son los cazadores, intentarán descubrir a los dos linces dentro de un plazo convenido. En cuanto alguien descubra a un lince y lo toque con la mano, el lince quedará atrapado y tendrá que devolver la linterna. Una vez atrapados los dos linces, termina el juego. Si un lince no es descubierto, habrá ganado.

Material

2 linternas pequeñas

Lugar

Bosque, borde del bosque, campo, prado

Sugerencia

El director del juego procurará que la delimitación del campo de juego se reconozca con claridad, que los linces emitan las señales a su debido tiempo y que los niños pequeños sólo emprendan la búsqueda con los más mayorcitos. También es importante dar una señal clara que anuncie el final del juego.

A partir de 3 jugadores

30

Jugando al escondite en la oscuridad

No hace falta ningún material

Lugar

Superficie de juego sin peligro y, al mismo tiempo, muy variada.

Un jugador empieza poniéndose en la línea de partida acordada, como por ejemplo un árbol, y cierra los ojos. Los otros se esconden en la superficie de juego convenida. Como por la noche hay muchas cosas que no se distinguen con claridad, a veces basta con tumbarse bien pegadito al suelo junto a un seto bajo o al pie de un árbol, para no ser descubierto. El buscador cuenta hasta 50 y dice en voz alta cuándo comienza la búsqueda. Como en el escondite normal, tiene que tocar una vez el árbol cuando descubra a alguien y gritar el nombre del jugador descubierto. Éste puede evitarlo corriendo también hacia el árbol, tocándolo con la mano antes que el buscador y diciendo «¡libre!». Luego puede volver a esconderse, mientras que el buscador tiene que encontrar a otro jugador antes de poder mencionar otra vez el nombre del recién descubierto. Los jugadores descubiertos se quedarán junto al árbol hasta que todos hayan sido atrapados o hasta que se decida comenzar de nuevo.

Variante

Como en el escondite tradicional, los atrapados pueden ser liberados si otro jugador corre hasta el árbol sin ser visto y dice en voz alta el nombre del liberado; por ejemplo: «¡Uno, dos y tres... (nombre del liberado) libre estés!».

A partir de 2 jugadores

15

Barquitos luminosos

Material

1 palmatoria por cada jugador, objetos flotantes con una superficie estable, como por ejemplo una tablita, un barquito o una lata plana

Lugar

Un riachuelo

Un «barquito luminoso» es muy fácil de hacer. Con una cinta adhesiva que pegue por los dos lados o con un chicle un poco mascado, se pega una palmatoria sobre un objeto flotante. Desde una parte accesible de la orilla de un riachuelo, se coloca el barquito en el agua. Resulta muy bonito y muy romántico ver los botes iluminados meciéndose en el agua.

72

Agujero negro

Sobre una superficie de juego se pintan o se rascan en el suelo tres círculos concéntricos que harán de «diana». Los jugadores se colocan a unos 5 metros de distancia, detrás de una marca. La diana ha de estar a oscuras. Uno tras otro, irán lanzando los diversos objetos hacia la diana. Luego se examina con una linterna qué cosas han ido a parar al círculo interior, al del medio, al de fuera o a ninguno de los tres. Mediante puntos se puede averiguar quién es el mejor lanzador.

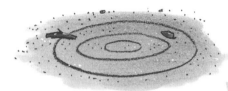

Material

Una linterna, diversos objetos con una capacidad de vuelo muy distinta (por ejemplo, piedras, hojas, un trozo de cuerda, una corteza, un palo, una lata, plumas de pájaro, un paquete de galletas vacío, una bolsa...)

Se puede jugar en cualquier parte

Estrella fugaz

Se fija una zona de juego con un punto de reunión. Excepto un jugador, el sonámbulo, todos los demás se esconden llevando consigo un objeto cualquiera que haga ruido al caer al suelo. El sonámbulo, con la linterna apagada, busca a tientas a los demás. Cuando se acerca a uno de los jugadores escondidos, éste lanza su objeto al aire, de tal modo que caiga al suelo por allí cerca. Si con la ayuda del ruido el sonámbulo consigue calcular bien la situación del objeto e iluminarlo de manera que quede dentro del círculo luminoso, se considerará que la estrella fugaz ha sido descubierta. El jugador descubierto se pondrá con su objeto en el punto de reunión.

Material

Linterna, diversos objetos pesados (por ejemplo, un trozo grueso de madera, un piedra grande, un pedazo de corteza, una zapatilla de gimnasia, etc.)

Lugar

Cualquier sitio en el que pueda uno esconderse

Sugerencia

Es importante escuchar el ruido con atención e iluminar el objeto con precisión. El director del juego se encargará de que el sonámbulo no mueva de acá para allá la linterna, sino que apunte bien con el haz de luz y enfoque directamente el objeto.

A partir de 4 jugadores

25

Prodigios a la luz

Material

Varias linternas

Se puede jugar en cualquier parte

Dos jugadores, los exploradores de prodigios, desaparecen con una linterna por la zona de juego convenida. Recorren el lugar buscando cosas o sitios interesantes y se guardan en la memoria su localización. Al cabo de unos 10 minutos, regresan. Cada uno de ellos se lleva a algunos de los otros jugadores y les enseña uno de los prodigios. Los exploradores iluminan brevemente su prodigio, de tal manera que los otros puedan reconocerlo. Luego apagan la linterna y el juego continúa. Una vez que todos los prodigios han sido mostrados a la luz, entre todos los jugadores enumeran los prodigios que les han sido enseñados. Luego parten otros dos jugadores con la linterna en busca de nuevos prodigios.

Ejemplos

- La entrada de la madriguera de un zorro
- Una delicada asperilla
- Pelos de animal prendidos de la corteza de un árbol
- Flores especiales
- Una moneda en el asfalto

A partir de 4 jugadores

20

Material

Una linterna

Lugar

El bosque, el borde del bosque o de un camino

El búho real

Entre todos se ponen de acuerdo en delimitar una zona de juego que tenga un nido (por ejemplo, un árbol). Un jugador hace de búho y agarra la linterna. Todos los demás se esconden por la zona de juego. El búho hace «uuhuuh» y se pone a buscar la presa. En cuanto oye algún susurro o reconoce a la presa entre los arbustos, la enfoca con la linterna. Si efectivamente descubre a uno de los jugadores, éste irá a parar, como presa capturada, al nido. La linterna no puede permanecer encendida más de 5 segundos. Una vez que hayan sido descubiertos todos los jugadores, otro hará de búho real.

¡Cuidado con el foco!

En el centro de una gran superficie de juego previamente convenida se marca un círculo. Un jugador con linterna hace de iluminador y se pone a cierta distancia de los restantes jugadores. Cada uno de ellos tiene ante sí un grueso leño y un palo delgado. El juego consiste en que todos empujen su leño hacia el círculo sin ser descubiertos. Tras la señal de salida, todos empujarán con cuidado su leño hacia el objetivo. El jugador de la linterna intentará atrapar a alguien cuando esté tocando el leño con el palo, y alumbrarle de tal modo que se vea cómo lo toca. El que sea descubierto se acercará al alumbrador y esperará allí hasta que se termine el juego. Si el rayo de luz no permite reconocer con claridad que el alumbrado está tocando el leño, se vuelve a apagar la linterna. Los jugadores que todavía no hayan sido descubiertos seguirán intentando cumplir su misión. En cuanto alguien consiga meter el leño en el círculo, termina el juego, y el ganador será el siguiente en iluminar a los demás.

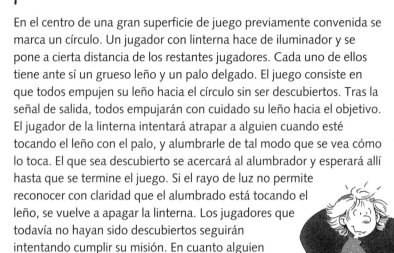

Material

Un leño y un palo fino para cada uno, una linterna

Lugar

La linde del bosque o una pradera, pero también en cualquier parte

Misterio en la noche

Se fija un tramo con salida y meta, que por ejemplo puede ser un trecho del camino. Un jugador se pone en la salida con los ojos cerrados. Los demás se reparten a derecha e izquierda del camino. En cuanto suene la señal de partida, el jugador aislado recorrerá el tramo convenido con los ojos cerrados. Para desviarlo, los demás pueden producir toda clase de ruidos, tonos y sonidos. Cuando el jugador activo crea haber alcanzado la meta, dirá en voz alta: «He llegado», y abrirá los ojos. Entonces los otros jugadores saldrán de sus escondites y se dirigirán a la meta. Una vez que todos hayan recorrido el tramo, podrán cambiar impresiones sobre sus experiencias y sensaciones: ¿Qué sentían los escondidos? ¿Qué impresión les ha causado recorrer el camino a tientas? ¿A quién se le ha hecho corto y a quién largo el recorrido?

No hace falta ningún material

Lugar

El borde del bosque, el borde del campo, un callejón estrecho o un patio interior en el que haya muchos sitios donde esconderse

Sugerencia

Como hay gente a la que le asusta la oscuridad, no conviene hacer ruidos que den miedo. Basta con producir sonidos suaves, los propios de la naturaleza.

A partir de 4 jugadores

90

Rally hacia las sombras de la noche

Material

Material para marcar la ruta (por ejemplo, tiras de tela o de papel, reflectores de bicicletas, piedras, leña, tiza); una sábana, palmatorias metidas en vasos, un cordón, varias linternas, bengalas; eventualmente, papelillos en los que previamente se habrán apuntado las tareas que se han de realizar, lápices

Lugar

Bosque, linde del bosque, pero también en cualquier parte

Sugerencia

Este rally es muy apropiado para rematar una fiesta infantil o juvenil, como parte del programa de las vacaciones o de una fiesta en un club, o también para cuando se junten varias familias. Muchos de los juegos que se han descrito en este capítulo son idóneos para fiestas.

Al jugar con fuego al aire libre hay que ser extremadamente precavido, sobre todo en las zonas secas del bosque. En un caso así la mejor solución son las linternas pequeñas.

Con la ayuda de diferentes pistas, pero sin luz, los jugadores tienen que encontrar la meta y resolver por el camino una serie de tareas. El director del juego o un pequeño equipo de preparación marca una ruta interesante antes de empezar. Además de diversas pistas hechas con jirones de tela, flechas, tiras de papel o reflectores de bicicletas, también es divertido producir ruidos que guíen a los jugadores, como por ejemplo la orden de «Seguid la pista al susurro», o un tintineo, o el «canto del mochuelo». De esto se encargarán el director del juego y otro jugador más, sin que el resto del grupo se entere. El equipo de preparación pondrá por el camino varias estaciones, donde a los jugadores los esperarán diversas tareas y preguntas, que o bien se las planteará directamente el director del juego o bien habrán sido anotadas en unos papelillos previamente repartidos.

El último tramo del camino está marcado con palmatorias metidas en vasos o con linternas encendidas. En la meta se habrá montado una gran pared de sombra, es decir, un gran paño blanco tendido entre dos árboles. Cuando los grupos llegan a la meta, tiene lugar la representación de un juego de sombras. Con las linternas del director del juego o, en su caso, del equipo de preparación se ilumina el lienzo desde detrás, y el equipo representa entonces una obra inventada, que puede ser sobre espíritus del bosque o sobre duendes de los pantanos. Para darle al juego más ambiente «atmosférico», se puede concluir trazando un círculo luminoso con las bengalas. En el camino de vuelta, los jugadores irán agarrando todos los materiales y las marcas.

Juegos con los cuatro elementos

El fuego, la tierra, el agua y el aire ejercen una influencia decisiva en la naturaleza. Asimismo, ofrecen posibilidades fascinantes para jugar, experimentar y hacer descubrimientos.

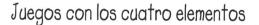

TIERRA

Mundo subterráneo

Entre todos los jugadores construyen un castillo
de arena muy alto. Arriba del todo ponen una banderita, que se
puede hacer con un palito y una hoja pinchada. Un jugador saca
con la mano un poco de arena del fondo del castillo. Lo mismo hará
el siguiente jugador, etc, hasta que les haya tocado el turno a todos.
De este modo, el edificio se irá socavando poco a poco. Cada uno
ha de procurar que no se le derrumbe a él. Quien sospeche que
a la siguiente excavación se desplomará, tiene que decirlo. Si
efectivamente se le cae al siguiente, éste tendrá que construir uno
nuevo. Si después de anunciar su caída todavía aguanta, el jugador
que se haya equivocado en el cálculo construirá el siguiente edificio, si
bien antes tendrá que esperar a que el castillo se derrumbe de verdad.

Material

Arena, una banderita

Lugar

Cualquier parte donde haya arena

Un muro de mampostería en seco

Se construye un muro de mampostería en el que puedan vivir animales
pequeños, lagartijas e insectos. El muro constará de fragmentos de
roca y piedras amontonados sin ningún medio de unión artificial. Lo
importante es apilar las piedras de modo que encajen bien unas con
otras y que la altura del muro no sobrepase los 80 centímetros, para
que no se caiga. Las grietas más grandes se rellenan con un poco de
tierra, arena o barro; pero también tiene que haber partes huecas en
las que los animales pequeños encuentren protección. El muro,
asimismo, puede ser afirmado con estacas o terraplenando unos
cuantos centímetros con guijarros vastos y sueltos, para que escurra
bien la humedad.

Material

Piedras, tierra, guijarros, arena

Lugar

*Un sitio despejado que, a ser
posible, esté orientado al sur para
que el muro de mampostería en
seco aguante un tiempo sin caerse*

Variante

El que quiera también puede construir una espiral. Su
punto más bajo empezará en el sur, y la punta de la
espiral señalará al norte. Abajo se echa tierra normal,
y arriba un poco de arena o guijarros con tierra.
Luego se envuelve la espiral con diferentes hierbas.

Cuadros de tierra

Los jugadores intentan reproducir la foto de un calendario o una foto de un paisaje sencillo con tierra, guijarros, trozos de roca y arena. ¿A quién le sale más bonito?

Material

Tierra, arena, guijarros, fragmentos de roca, fotos de un calendario o de un paisaje sencillo (por ejemplo, un paisaje de colinas, un trozo de bosque con un camino...)

Se puede jugar en cualquier parte

Paisaje acristalado

Primero se meten en varias bolsas u otros recipientes piedrecitas distintas, tierra de diferentes colores, arena o arcilla. En un tarro cada jugador va formando capas, según su imaginación, con los diferentes tipos de suelo natural hallados. Gracias a la diversa calidad del material, irán surgiendo dibujos o paisajes interesantes dentro del cristal. El tarro cerrado es una bonita decoración para el alféizar de la ventana. Quien quiera también puede quitar la tapa y poner encima una palmatoria con una vela.

Material

Tierra, piedrecitas, arena, arcilla, un tarro con tapa para cada uno

Se puede jugar en cualquier parte

Paleta de tierra

Los colores de la tierra son más variados que los de cualquier caja de pinturas. La variedad de colores es casi infinita. Cada jugador intentará descubrir esa diversidad de colores y mostrarla en forma de una «paleta de tierra». Para ello tiene que marcar una paleta grande, como las de los pintores, en el suelo. Luego todos recorren al mismo tiempo los alrededores procurando encontrar muchos tonos diferentes de tierra, piedras y arena. Con una cuchara o con una pala pequeña, cada jugador irá poniendo en su paleta montoncitos de muestras y luego los aplastará. Al final se comprueba quién ha encontrado más colores.

Material

Tierra de distintas clases, una cuchara o una palita para cada uno

Lugar

Bosque, campo, parque, colina, cajón de arena, orilla de un río

FUEGO

A partir de
1 jugador

20

Material

Piedras, tierra, palos, ramas, paja o heno, cerillas

Lugar

El borde del campo, un terreno despejado, la orilla de un río, un riachuelo o un lago

Sugerencia

A la hora de hacer un fuego hay que tener siempre mucho cuidado, por lo que es imprescindible la presencia de un adulto. Si el terreno está muy seco, se renunciará a hacer una fogata. ¡Hay que mantenerse a 100 metros de una zona de bosque! Conviene tener siempre suficiente agua disponible para apagar el fuego.

Fuego de campamento

Los niños deben aprender a jugar con fuego, pero han de contar con alguien que se lo explique. Deberían saber, por ejemplo, que el viento no apaga un fuego, sino que lo propaga más aún (incendios forestales).

Desde tiempo inmemorial, hacer fuego ha suscitado una gran fascinación. Para algunos juegos es bonito encender una fogata. A la hora de hacer un fuego no sólo es importante que arda, sino que debe ser lo más efectivo posible para la finalidad prevista y, al mismo tiempo, respetuoso con el medio ambiente. En cualquier caso, nunca se hará una gran fogata. Una pequeña suele resultar más agradable y es mejor para hacer una parrillada o como simple iluminación.

Lugar del fuego

Primero se busca un sitio apropiado, llano y sin vegetación. Se retira todo el material fácilmente combustible. Luego se dispone una capa de arena húmeda, gravilla o piedras planas. Un anillo de piedras más grandes delimitará la zona del fuego. La tierra húmeda o la arena entremezcladas pueden proteger del calor a la sensible capa de césped.

Centro

En el medio se pone un centro de material fácilmente combustible, como por ejemplo paja, heno y ramas secas. Para saber si las ramas están secas, se doblan y se parten. Esto sólo se puede hacer si ya no contienen humedad. Si hay abedules en las proximidades, se pueden arrancar trozos de la fina corteza interior, que siempre está seca y arde con facilidad.

Prender el fuego

Alrededor del centro se colocan ramas pequeñas y, encima, otras más gruesas y más fuertes. En un ángulo de 90° con respecto al lado del viento, se deja libre un pequeño acceso al centro, para que luego arda bien el interior del fuego.

Apagar

La fogata se apaga repartiendo por la superficie los troncos ardientes y cortándolos en trozos pequeños. Luego hay que apagarlo todo cubriéndolo con suficiente arena o tierra, para lo cual se debe tener cuidado de que no se acumule más calor y pueda avivarse el fuego. Apagar el fuego con agua es lo más seguro, pero luego quedan unos feos troncos carbonizados que tardan mucho es deshacerse.

Sombras en el fuego

Entre dos árboles se tiende una sábana. El rojo sol poniente es la fuente de luz. El que se sitúe entre el sol y la sábana será visible para los demás en forma de sombra reflejada en la tela. De este modo, surge un juego «atmosférico». Una vez que el sol se haya puesto, se encienden antorchas, lámparas de aceite o velas, que harán de fuente de luz. En Indonesia, por ejemplo, estos juegos de sombras tienen una larga tradición. El parpadeo de las llamas confiere movimiento y un ambiente especial a este juego de sombras.

Material

Antorchas, velas, sábana, cordón, cerillas, cubo de agua

Se puede jugar en cualquier parte

Sugerencia

Cuidado: Para que la tela no arda de repente hay que estar atento y tener siempre a mano un cubo de agua.

Signos incandescentes

Se mete un palo en el fuego hasta que en la punta se forme una brasa. Entonces uno agarra el palo y «dibuja» en el aire un signo que los demás han de adivinar. Puede ser, por ejemplo, una planta, un objeto o un símbolo. Quien lo reconozca será el siguiente en dibujar con el palo ardiendo.

Variante
Más difícil resulta «escribir» palabras enteras en el aire.

Material

Fogata o parrilla, palo

Lugar

Cualquier sitio en el que esté permitido hacer fuego o asar a la parrilla

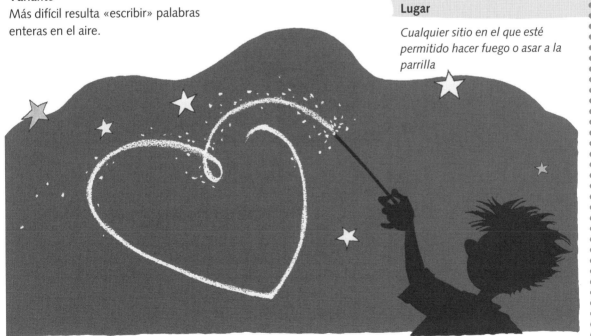

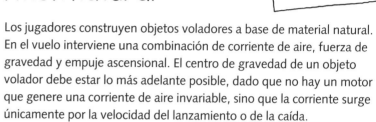

AIRE

Avión natural

Material

Palitos, hojas grandes y pequeñas, palos, un cordón hecho a base de hierba o corteza trenzadas

Se puede jugar en cualquier parte

Los jugadores construyen objetos voladores a base de material natural. En el vuelo interviene una combinación de corriente de aire, fuerza de gravedad y empuje ascensional. El centro de gravedad de un objeto volador debe estar lo más adelante posible, dado que no hay un motor que genere una corriente de aire invariable, sino que la corriente surge únicamente por la velocidad del lanzamiento o de la caída.

Cada uno busca palitos y hojas. Los planos sustentadores (las hojas) han de ser grandes, para que el vuelo sea bonito y regular. Se atan dos palitos juntos con un cordón hecho a base de hierba o de corteza trenzada. Entonces se meten las hojas grandes entre el fuselaje de madera y se hacen las primeras pruebas de vuelo. El centro de gravedad puede ser modificado mediante piedrecitas pequeñas o ramitas atadas. ¿Quién construye el avión con las mejores características de vuelo?

Castañas arrojadizas

A partir de 1 jugador

10

Material

Taladro de mano, hierbas largas o caña, castañas

Se puede jugar en cualquier parte

Con un taladro de mano se hace un agujero de aproximadamente 1 centímetro en una castaña. Luego se toma un manojo de hierba larga o de caña y se aprieta bien por un extremo, de tal manera que se pueda meter en el agujero con un leve giro. Entonces se lanza la castaña al aire agarrando por la cola. Si se quiere hacer un concurso de vuelo, habrá que montar en la superficie de juego unas cuantas estaciones que planteen diversas exigencias al aparato de vuelo y a su piloto:

- Un anillo de hojas de aproximadamente 1 metro de diámetro en el suelo: el avión tendrá que aterrizar dentro de ese aeropuerto natural.
- Un callejón de unos 50 centímetros de anchura y 1,5 metros de longitud a base de palos clavados en el suelo o dispuestos a lo largo, como la pista de aterrizaje de un aeropuerto: el aparato de vuelo ha de detenerse entre los dos palos.
- Una hondonada en el suelo: el avión tiene que ir a parar al fondo.
- El aparato de vuelo tiene que alcanzar una hoja grande que cuelgue de un árbol.
- De una rama se cuelga un aro hecho a base de ramitas flexibles atadas con tiras de corteza: se trata de atravesar el aro.

Serpiente aérea

Se extiende una tira larga de tela. Un jugador la agarra por el extremo estrecho y la mueve de modo que forme muchas ondas, que han de llegar al otro extremo. Con varios se puede concursar a ver quién hace más olas.

Variante 1

Mover la cinta de tela de modo que permanezca todo el rato en el aire, sin tocar el suelo. ¿Quién lo consigue durante más tiempo?

Variante 2

Varios jugadores se colocan debajo de la tira de tela y se mueven por la superficie de juego. Tienen que mantener la cinta todo el rato por encima de sus cabezas con las manos, no agarrándola, sino sosteniéndola con las palmas. ¿Cuánto tiempo permanece así?

Material

Una cinta de tela de unos 5 a 10 metros de longitud

Lugar

Cualquier parte donde sople el viento y haya mucho sitio para correr

Perlas de colores al viento

Primero se hace el líquido para las pompas de jabón. Con un trozo de alambre, cada uno le da la forma que quiera, siempre que sea cerrada, y envuelve el alambre con una venda de gasa o con un hilo de lana gordito. Se sujeta el alambre a un palito y se mete el agua jabonosa en un recipiente plano. Todos sumergen su alambre en el líquido y lo sacan con cuidado. A veces basta con eso para que se formen pompas, pero también se puede soplar o esperar a que haga viento.

Recetas para las pompas de jabón

A Mezclar 3 cucharadas de lavavajillas en 1 litro de agua
B Diluir 0,1 litro de engrudo para papel pintado. Hervir 50 gramos de azúcar y 75 gramos de jabón blando con 0,9 litros de agua y luego dejarlo enfriar. Añadir el engrudo y revolverlo todo bien.

Material

Ingredientes para el agua jabonosa según la receta elegida, alambre de soldar, venda de gasa o lana, tirita de tela, palitos, un recipiente plano (un plato hondo o una tapa muy grande de una cazuela)

Se puede jugar en cualquier parte

AGUA

A partir de 4 jugadores

30

No hace falta ningún material

Lugar

Orilla de un arroyo o de un río con partes diferentes (pequeñas calas; ramas, piedras o rocas que estén en el agua, distintas corrientes o pequeños escalones)

El arroyo cantarín

Se forman dos grupos pequeños. Cada equipo explora por su cuenta determinado tramo del riachuelo fijándose especialmente en los distintos ruidos y sonidos del agua, como por ejemplo el borboteo, el murmullo, el siseo, el batir del agua, el golpeteo... Entre todos se ponen de acuerdo en dar a las zonas de los ruidos nombres imaginativos, divertidos o misteriosos. Así por ejemplo, el ruido sordo que hace el agua en un sitio profundo se puede llamar «agujero negro», y al suave chapoteo del agua que rompe en una ligera pendiente con vegetación se le puede llamar el «gorjeo de las hadas». A continuación, los grupos se vuelven a juntar y se llevan unos a otros a los sitios observados. Los que son conducidos irán con los ojos cerrados y se concentrarán exclusivamente en lo que oyen. Una vez que todos los miembros de un equipo hayan llegado al final del tramo, cada equipo hará saber las fantasiosas denominaciones convenidas. Entonces el otro grupo tendrá que adivinar con qué zonas o ruidos se corresponden.

Variante

Al grupo que le toque adivinar se le dicen los nombres de los ruidos, y entonces tiene que encontrar por sí solo la zona correspondiente del río o del arroyo.

A partir de 3 jugadores

20

No hace falta ningún material

Lugar

La orilla de un riachuelo, un río o un lago

Sugerencia

Los que no sepan nadar no deben alejarse de la orilla.

Sentir el agua

Junto a una orilla en la que cubra poco, todos se quitan los zapatos y los calcetines. Luego se remangan los pantalones y se meten con cuidado en el agua fresquita. Entonces se ponen a hacer con las manos remolinos y olas, de modo que el agua se sienta de distintas maneras. Se pueden poner las manos estiradas o apretadas, o bien dar vueltas con ellas o sumergirlas. Seguro que se notan las diferencias de temperatura que hay entre la superficie y el fondo del agua. Después de hacer varias pruebas, los jugadores se mostrarán unos a otros sus «técnicas». También pueden cambiar impresiones sobre lo que han sentido: ¿Cuál ha sido la sensación más agradable? ¿Cómo se sentía el agua en un remolino y cómo en una zona de aguas remansadas?

Juegos para todos los sentidos

Estos juegos son un estímulo para percibir la naturaleza con todos los sentidos. Hay juegos para ver, oír, notar, oler y saborear, y otros para desarrollar el sentido del equilibrio, del espacio, del tiempo, de la fuerza, del movimiento y de la profundidad.

VISTA

Vista de águila

El director del juego nombra una serie de cosas que han de ser reunidas en los siguientes 10 minutos. Al cabo de ese tiempo, se juntan todos y muestran sus hallazgos. ¿Quién ha conseguido encontrarlo todo?

Material

Eventualmente, una lista con los objetos anotados

Se puede jugar en cualquier parte

Sugerencia

Al reunir los hallazgos hay que procurar no estropear nada.

Ejemplos de cosas que se pueden buscar

Un trozo de corteza con musgo, una pluma, un hueso, un caparazón de caracol, una fruta, pelos de animal, una flor, una cáscara de huevo. O también cosas de distintas características: comestibles, que huelan bien, húmedas, mullidas, brillantes, blancas, azules, negras, calientes, frías, puntiagudas, redondas, artificiales.

Variante

Otra tarea puede ser la de reunir objetos de metal, de papel o de otros materiales. Si entre las cosas halladas hay basura, se habrá librado de ella un trocito de tierra.

Material

Diferentes objetos naturales como trozos de ramas, hojas llamativas, caracolas, piedras, trozos de corteza, plumas, caparazones vacíos de caracol...

Se puede jugar en cualquier parte

Buen camuflaje

Cada jugador reúne cinco objetos naturales sin enseñárselos a los demás. Luego cada uno se marca su propia zona de juego y esconde allí sus hallazgos, de tal manera que, por una parte, si se señalan, sean claramente reconocibles y, por otra parte, estén perfectamente adaptados al entorno. Entonces todos los jugadores intentarán descubrir los objetos escondidos de los demás.

Ejemplos de escondites

- Una flor roja dentro de un ramo de bayas rojas.
- Una piedra encima de una rama.
- Una bellota en un haya.

¡Qué cambiado está!

Se forman dos grupos pequeños. Cada uno delimita para sí una zona de 5 x 5 metros en el bosque, en un patio trasero o en un parque urbano. Luego los equipos se encuentran en la zona de juego. Todos observan detenidamente la superficie delimitada y se quedan con detalles sobre las características o la situación de las cosas, o también sobre la incidencia de la luz y la frecuencia con que aparecen los objetos. Entonces un grupo se da la vuelta mientras el otro cambia diez cosas dentro de la superficie de juego. El grupo tiene que adivinar qué cosas han sido cambiadas, añadidas o quitadas. Una vez descubierto todo, le toca el turno al otro grupo.

No hace falta ningún material

Lugar

El bosque, pero también en cualquier parte

Te reconozco por las manos

Se elige a un jugador inicial, que ha de volverse de espaldas a los demás. Los otros se alejan un poco por el bosque y cada uno se esconde detrás de un árbol grueso. Cada uno rodea el tronco del árbol con los dos brazos, de manera que sólo se le vean las manos. Al que le toque adivinar tiene que reconocer por las manos, a unos 10 metros de distancia, qué jugador se esconde detrás de cada árbol.

No hace falta ningún material

Lugar

Un bosque con muchos árboles de tronco liso

Variante
Todos los jugadores se esconden juntos detrás del mismo árbol y asoman una mano a distinta altura.

A partir de 2 jugadores

15

TACTO

Siente lo que veo

Un jugador se tumba cómodamente boca abajo en un sitio que le resulte agradable. Otro dibuja con el dedo en la espalda del que está tumbado lo que ve en ese momento. El jugador del suelo intenta averiguar de qué se trata. Los que sean un poco mayorcitos también pueden «escribir» letras.

No hace falta ningún material

Se puede jugar en cualquier parte

Sugerencia

Para que el juego salga bien, los jugadores deben dibujar lenta y claramente con el dedo y, a poder ser, cosas no demasiado difíciles.

Variante

Este juego es muy divertido con varios jugadores. Todos se tumban uno al lado del otro. Al primero le dibujan en la espalda una palabra o un símbolo. Entonces se levanta y lo marca con el dedo en la espalda del siguiente jugador, el cual a su vez lo escribe en la espalda del tercero, etc. Finalmente, el último jugador tiene que decir qué le han dibujado. A menudo ocurre que sale algo completamente distinto de lo que se había dibujado o escrito al principio.

A partir de 2 jugadores

20

Adivina lo que notas

Material

Objetos naturales reunidos

Se puede jugar en cualquier parte

Cada jugador reúne unos 15 objetos naturales diferentes, como por ejemplo flores, piedrecitas, pelos de animal, etc., pero los mantiene fuera de la vista. Se forman parejas. Uno de los dos cierra los ojos y recibe un objeto de su compañero. A base de tocarlo, tiene que averiguar de qué se trata y nombrarlo. Después de cada objeto se cambian los papeles. Resulta más difícil si se dan a palpar varios objetos seguidos y sólo se nombran al final.

Campo a través

A partir de
3 jugadores

En un sitio con muchas clases de suelo (musgo, raíces, tierra, ramas, humedad, agua, hierba, pequeños guijarros), un jugador se quita los zapatos y los calcetines, cierra los ojos y es conducido cuidadosamente por otro para que pueda palpar con los dedos de los pies y los talones los distintos tipos de suelo. Al cabo de un rato, es llevado de nuevo al punto de partida y, con los ojos abiertos, tiene que recorrer otra vez el mismo camino. ¿Será capaz de encontrarlo?

No hace falta ningún material

Lugar

Bosque o linde del bosque con distintas clases de suelo

Sugerencia

El jugador «ciego» ha de ser conducido con mucho cuidado. Si se siente inseguro, abrirá los ojos y el juego perderá gracia.

Cajas y barreños

A partir de
3 jugadores

Se prepara un tramo de unos 10 a 20 metros de longitud a base de cajas de cartón y barreños. Estos recipientes se rellenan de diverso material natural, como por ejemplo trozos de corteza, virutas, tierra, musgo, guijarros planos, gravilla, hierba, heno, paja, barro, agua, etc. A ser posible, los otros jugadores no deben ver este tramo. Uno tras otro, los jugadores serán conducidos por el trecho con los ojos cerrados y descalzos. Cuando todos lo hayan recorrido, podrán cambiar impresiones acerca de sus vivencias.

Material

Cajas de cartón bajitas, diferentes materiales naturales; eventualmente, barreños planos, toallas o papel de cocina

Lugar

Cualquier parte, incluso una habitación o sobre el asfalto

Sugerencia

Para lavarse los pies conviene tener a mano un cubo de agua y toallas.

OÍDO

Tesoros audibles

Material

Lápiz y papel

Lugar

Cualquier parte en la que haya mucho ruidos distintos

Cada jugador recibe un lápiz y un papel. Luego recorre una zona de juego convenida y, al cabo de un rato, se sienta en un lugar libremente elegido. Concentrado y con los ojos cerrados, deberá percibir los diferentes ruidos del entorno. Después tiene que averiguar a qué distancia y en qué dirección están localizados los ruidos. Al cabo de unos minutos, cada jugador, con los ojos abiertos, dibujará en el papel los «tesoros audibles» descubiertos a base de símbolos y signos inventados por él mismo, como si de un plano del tesoro se tratara. Luego se intercambian los planos y cada uno intenta localizar los ruidos de otro jugador.

Acércate a oído

Material

Un pedrusco, una estaca de madera o un trozo de corteza; pañuelos para vendarse los ojos

Lugar

El bosque, pero también se puede jugar en cualquier parte

Sugerencia

Para evitar el «parpadeo» involuntario se pueden llevar los ojos vendados. El objeto no ha de ser demasiado pesado. Para que no rebote y pueda lastimar a alguien, es importante dejarlo caer en perpendicular, por ejemplo, desde la cintura.

Los jugadores se reúnen con los ojos cerrados. Uno de ellos se aleja del grupo sin hacer ruido y deja caer al suelo un peso de unos 500 gramos. Los jugadores, todavía con los ojos cerrados, se acercan al objeto y se detienen cuando creen que están a medio metro de él. Cuando ya todos estén parados, podrán volver a abrir los ojos. Quien haya llegado a menos distancia del peso será el siguiente en arrojar el pedrusco.

Variante
Los jugadores dan la espalda a la superficie de juego y luego se acercan al peso marcha atrás y con los ojos cerrados, hasta llegar a una distancia de aproximadamente medio metro.

Escucha; ¿qué ha sido eso?

Se forman dos grupos pequeños. Cada grupo, a escondidas, produce cinco ruidos, tonos o sonidos diferentes con materiales naturales. Al cabo de 5 minutos se reúnen los dos equipos. Los jugadores de un grupo cierran los ojos y escuchan, uno tras otro, los cinco ruidos del otro grupo. Los materiales empleados son escondidos antes de que el grupo adivinador abra los ojos. Entonces este grupo tiene que reproducir con la mayor exactitud posible los ruidos que acaba de oír, para lo cual habrá tenido que ir a buscar las cosas correspondientes por los alrededores. A continuación, le toca el turno al otro grupo.

Material

Objetos y materiales que hagan ruido (arena, piñas de abeto, piedrecitas, hierba, corteza, etc.)

Se puede jugar en cualquier parte

Sugerencia

No se deben hacer ruidos demasiado complicados, para que sean fáciles de imitar.

Variante
Se utilizan también objetos «no naturales» del entorno.

Ejemplos
- Pasar un palito por un charco
- Desmenuzar un trozo de corteza con la mano
- Frotar varias piñas de abeto
- Echar poco a poco arena en el agua
- Llenar de algo una lata de refresco
- Arrugar un trozo de papel de aluminio
- Amontonar piedras
- Arrancar hierba

Una sucesión de ruidos

Se nombra a uno director del juego. Otro jugador cierra los ojos o se da la vuelta. Los restantes jugadores generan varios ruidos, uno tras otro, con diferentes objetos. El director del juego apunta también el orden de sucesión. Luego, todos los jugadores dejan los objetos empleados y, para crear mayor confusión, añaden al montón otros dos o tres no utilizados. El jugador que hasta entonces estaba de espaldas tiene que averiguar qué objetos han sido empleados y nombrarlos en el orden de sucesión correcto. Para que le resulte más fácil, puede ir poniéndolos en fila. Luego le toca a otro jugador adivinar otra serie de ruidos.

Material

Diferentes objetos naturales

Se puede jugar en cualquier parte

OLFATO

¿A qué huele?

Se forman parejas. Un jugador cierra los ojos y es conducido por su compañero hacia el objeto elegido. Allí tiene que adivinar qué es por el olor. Puede ser una flor o un trozo de madera podrida, un viejo neumático de coche, una papelera que esté al lado de la parada del autobús o una bolsita de té. Una vez adivinado el objeto, se cambian los papeles.

Variante

Se llenan unos saquitos de tela de diferentes cosas aromáticas, como condimentos o aceites esenciales. Se trata de averiguar qué hay en cada saquito.

Olor a especias

Sobre una mesa o una bandeja se ponen diez tarritos de especias de igual aspecto. Primero, los jugadores pueden olerlas una vez e ir diciendo los nombres de los aromas. Luego, un jugador toma un papel en el que viene anotado un orden de sucesión de los condimentos. Entonces tiene que recomponer ese orden con los ojos cerrados. Los demás jugadores habrán cambiado el orden de sucesión de los tarritos. El jugador «ciego» abre los tarros, va oliendo uno tras otro y luego los ordena tal y como ponía en el papel. En cuanto crea haber resuelto la tarea, abre los ojos y, entre todos, examinan el resultado.

A partir de 4 jugadores

20

No hace falta ningún material

Lugar

Cualquier sitio en el que haya cosas que se puedan oler.

Sugerencia

El jugador que lleva al «ciego» debe transmitirle seguridad. Si un jugador se siente inseguro puede abrir los ojos en cualquier momento, con lo que la percepción sensorial será menos intensa.

A partir de 3 jugadores

30

Material

Pequeños recipientes (por ejemplo, los tubitos de los carretes de fotos) con diferentes especias, como por ejemplo canela, cardamomo, azúcar, acitrón y vainilla; papeles en los que vendrán anotados los condimentos en un orden de sucesión diferente

Se puede jugar en cualquier parte

Memoria olfativa

Como el propio título indica, se trata de un juego parecido al famoso «Memory». Se recortan unos trocitos de tela, a ser posible, del mismo tamaño y se empapan de dos en dos en aceites esenciales diferentes o en líquidos naturales (por ejemplo, zumo de limón o de cerezas). Se mezclan entre 10 y 14 «parejas aromáticas» y se ponen en hileras regulares. Uno empieza, agarra una tela, la huele y toma una segunda tela. Si el olor es el mismo, podrá quedarse con los dos trozos de tela; de lo contrario, se volverán a colocar en su sitio y será el turno del siguiente jugador. Quien haya descubierto una auténtica «pareja aromática», podrá hacer otro intento: tomará dos telas y las olerá. El que al final haya reunido más parejas olorosas, será que tiene buen olfato y buena memoria.

Material

Retales de tela, aceites esenciales, líquidos aromáticos; eventualmente, perfumes

Se puede jugar en cualquier parte

Sugerencia

Los trocitos de tela deben estar recién empapados, para que los olores sean fuertes y fáciles de distinguir. De todos modos, en bolsitas o envases cerrados al vacío los olores se conservan un rato. Si se utilizan olores artificiales (perfumes), habrá que decírselo a los jugadores desde el principio.

Mi nariz me dice que eres tú

Los jugadores se reúnen por parejas. Cada una recibe dos trozos de tela empapados con el mismo olor. Los miembros de las parejas se separan, se alejan lo más posible entre sí y luego cierran los ojos. El director del juego «mezcla» un poco más a los jugadores. Entonces salen todos en silencio olfateando a su «compañero de olor» hasta encontrarlo. Para ello han de mantener los ojos todo el rato bien cerrados y avanzar a tientas. Si un jugador choca con otro o nota que está a su lado, pondrá su trapito aromático a la altura de la nariz del otro y dejará que lo huela. Hay que tocar lo menos posible a los compañeros, para no reconocerlos por la ropa. Nada más encontrarse una pareja, abrirán los ojos.

Material

Tantos trapitos de tela como jugadores; el mismo aceite esencial para cada dos jugadores

Se puede jugar en cualquier parte

Sugerencia

Quien se sienta inseguro mientras está jugando, puede abrir brevemente los ojos. De todos modos, el ver a su compañero le quita mucha gracia al juego.

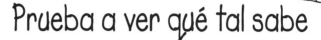

GUSTO

Prueba a ver qué tal sabe

Con los ojos cerrados, los jugadores van recibiendo varias cosas comestibles para probar. El orden de sucesión de las muestras deberá ser un poco distinto para cada jugador. Cada uno saborea en silencio y se guarda en la memoria el orden de sucesión de los sabores. Todos guardan silencio hasta que no falte ningún jugador por probar los bocaditos. Al final, cada uno nombra lo que ha saboreado.

Material

Pequeños recipientes con diferentes bocaditos, como por ejemplo trozos de manzana, rodajas de pepino, tacos de queso, cerezas, corteza de pan, rabanitos, cuajada, yogur, etc.

Se puede jugar en cualquier parte

Sugerencia

También se pueden ofrecer comestibles más raros, como apio, espinacas, aguacate o kiwi. No se debe ofrecer nada que tenga un sabor desagradable.

Variante

Se prueban también bebidas, como por ejemplo diferentes zumos, agua, cacao, distintas infusiones, leche o melaza.

Confusión de sabores

Se llenan cinco vasos con un líquido, que puede ser zumo de cerezas, a la vista del primer jugador. Luego éste cierra los ojos, mientras otro echa en uno de los vasos un chupito de otra bebida, como por ejemplo zumo de naranja o agua. El jugador ha de adivinar por el sabor qué vaso contiene la mezcla y de qué líquido se trata. Luego agarrará uno de los restantes vasos con zumo de cerezas y lo preparará para el siguiente jugador. No se puede volver a rellenar un vaso ya mezclado. Tal vez surjan ideas para cócteles apetecibles...

Material

Diferentes bebidas que se puedan mezclar (por ejemplo, zumos, refrescos), varios vasos

Se puede jugar en cualquier parte

Buen gusto

Los jugadores forman el equipo A y el equipo B. Cada grupo recibe diferentes bebidas y comidas en pequeños recipientes o platos que estén tapados. Los dos equipos comprueban a escondidas qué alimentos poseen. Luego anotan un orden de sucesión de sus muestras en una lista y colocan los recipientes de cualquier manera. El objetivo de este juego es que el equipo contrario, con la ayuda de una descripción, ordene los recipientes en el orden de sucesión prescrito. Una vez que los dos equipos hayan anotado el orden de sucesión de sus muestras, un jugador del equipo A describe el primer sabor de la lista, evitando decir el nombre de las cosas. Un jugador del equipo B prueba una muestra de algún recipiente. Otro jugador del equipo A describe el siguiente sabor, y el siguiente jugador del equipo contrario vuelve a probar sólo una muestra. Una vez que se han probado todas las exquisiteces, los adivinadores se ponen de acuerdo en el orden de sucesión en que han de ser puestas las muestras para que se correspondan con el orden de sucesión descrito.

Material

Diferentes alimentos naturales, como por ejemplo fruta, nueces, miel, mantequilla, etc.; tazas y platos, varios paños para cubrir, lápiz y papel para cada grupo

Se puede jugar en cualquier parte

Ejemplo
«El primero de nuestra serie de sabores es algo dulce. Es jugoso y se puede estrujar con facilidad.» (Melocotón)
«Lo siguiente es blando y sabe un poco áspero. Pero si se deja un rato en la boca, se vuelve casi dulce.» (Pan)

Frutas heladas

Se reparten trocitos de fruta comestible en los huecos de una cubitera de hielo, se rocían con un poco de agua y luego se congelan. Se ponen los cubitos de hielo a disposición de los jugadores. A cada jugador, que ha de estar con los ojos cerrados, se le mete en la boca una de las frutitas heladas. Quien nombre primero qué fruta hay dentro del cubito de hielo se encargará de repartir los cubitos en la siguiente ronda.

Material

Diferentes trozos de fruta, frigorífico con cubitera

Se puede jugar en cualquier parte

PERCEPCIÓN DEL EQUILIBRIO

Haciendo equilibrios

Entre todos los jugadores fijan un tramo en el que haya varios troncos de árboles caídos, para saltar de uno a otro. Uno de los jugadores empieza a recorrer el tramo convenido haciendo equilibrios. En cuanto deje el primer tronco, le seguirá otro jugador. Si éste alcanza al primero, intentará adelantarle sin salirse del tronco.

Material

Varios troncos caídos

Lugar

Cualquier parte en la que haya troncos de árboles caídos

Equilibrios en la cuerda

Se pone en el suelo una cuerda larga un poco torcida. Entonces cada jugador, descalzo o en calcetines, recorrerá la cuerda hasta el otro extremo sin salirse de ella ni pisar al lado.

Variante

Los jugadores tienen que mantener él equilibrio en la cuerda con los ojos cerrados o llevados por otro. Algunas personas se sienten mucho más seguras con los ojos cerrados.

Material

Cuerda larga (por ejemplo, de 5 metros) o un cable

Lugar

Un sitio de suelo blandito

Una torre disparatada

Cada jugador busca un objeto poco común de la naturaleza. Se amontonan todos. Entonces un jugador tiene que ir apilando cosa por cosa sin que se le caiga nada. Se mide la altura, y el siguiente jugador intentará hacer una pila un poco más alta. Esta tarea también se puede resolver en equipo.

Material

Diferentes objetos de la naturaleza, regla o cinta métrica

Se puede jugar en cualquier parte

Hojas y cortezas en equilibrio

Se marca un recorrido de características muy variadas, que por ejemplo pase por una senda estrecha, un grueso tronco atravesado en el camino, una ligera hondonada, un montón de hojas, una vereda pedregosa y una leve pendiente hacia la meta. Uno tras otro, cada jugador intentará recorrer ese tramo transportando sobre su cuerpo la mayor cantidad posible de trozos de corteza o de hojas sueltas. Cada objeto natural que consiga llegar a la meta contará como un punto positivo.

Material

Trozos de corteza, hojas grandes

Se puede jugar en cualquier parte

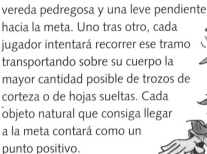

Variante

También se pueden dar puntos negativos por los objetos perdidos en el camino, y luego descontarlos de los puntos positivos logrados.

Equilibrios con un palo

Se fija un punto de partida en un extremo de un tramo bastante largo. En el otro extremo se marca un círculo de aproximadamente 1 metro en el suelo. Entonces todos los jugadores se colocan al borde del tramo para sostener al que esté haciendo equilibrios en caso de que dé un traspiés. Al valiente jugador inicial se le coloca un palo encima de la cabeza. Sin perder ese palo o esa rama, el equilibrista tiene que llegar a la meta haciendo equilibrios por encima de los troncos. Como tarea final, ha de dar un «cabezazo», sin usar las manos ni los brazos, y lanzar el palo hacia la meta, de tal modo que vaya a parar al interior del círculo marcado. A continuación, le tocará el turno al siguiente jugador.

Material

Troncos largos de árboles para hacer equilibrios, un palo de aproximadamente 1 metro de longitud

Lugar

Donde haya troncos largos de árboles u otros tramos que inviten a hacer equilibrios. A falta de troncos, también se puede utilizar una cuerda tendida en el suelo o una fila de latas de tejado.

Variante

Los equilibristas valientes y con mucha práctica pueden intentar recorrer el tramo con los ojos cerrados, dejándose guiar por las instrucciones de los demás jugadores. Para ello obviamente se requiere mucha precaución y también confianza.

PERCEPCIÓN DEL MOVIMIENTO, LA PROFUNDIDAD, EL TIEMPO Y EL ESPACIO

Patinete

Se delimita un tramo de unos 2 metros de longitud en una superficie lisa y recta. Cada jugador tiene que recorrer el tramo de pie sobre un tronco redondo y liso. Gana el que menos veces haya tocado el suelo. Este juego es bastante difícil y requiere cierta práctica.

Material

Trozos de troncos serrados y uniformemente redondos de más o menos 1 metro de longitud

Se puede jugar en cualquier parte

Sugerencia

En este juego es fácil caerse de repente o resbalar hacia atrás. De ahí que los equilibristas requieran la ayuda de los otros jugadores.

Variante

Quien quiera puede intentarlo también marcha atrás.

¿Cuánto falta?

Un jugador menciona una circunstancia o una situación y pronostica dentro de cuántos segundos o minutos tendrá lugar. Se anotan la situación, el nombre y el tiempo vaticinado. Entonces todos esperan a ver si el pronóstico se cumple y cuándo se produce. A continuación, hará la profecía otro jugador.

Material

Un reloj con minutero, lápiz y papel

Se puede jugar en cualquier parte

Ejemplos

- «Dentro de 30 segundos oiremos el canto de un pájaro.»
- «Hasta que haya otra bifurcación en el camino faltan más de 4 minutos.»
- «Dentro de 1 minuto oiremos un coche.»

Dime cuánto

Uno hace de director del juego y prepara el contenido de varios saquitos. Los demás levantan cada saquito una vez y calculan cuánto puede pesar. Se anotan los datos de cada jugador. Al final, todos los saquitos se pesan en un pesacartas o en un peso de cocina. Quien haya acertado el peso exacto será un maestro del cálculo.

Variante

Se pueden calcular otras cosas o situaciones diferentes: el número, el volumen y la altura de determinados objetos, o también la distancia con respecto a algo. Resulta divertido utilizar unidades métricas poco comunes: ¿A cuántos caparazones de caracol se halla alejado el escarabajo muerto? o ¿Cuántos zapatos hay que apilar para que lleguen hasta una rama?

Material

Varios saquitos llenos de plumas, trocitos de corteza, piedrecitas, guijarros grandes, tierra, arena, cápsulas de semillas, bellotas, virutas, serrín, etc; lápiz y papel, pesacartas

Se puede jugar en cualquier parte

Paleta de transporte

Entre todos construyen una «paleta de transporte», es decir, un entramado hecho a base de palos, ramas, tallos de hierba y tiras de corteza. Dos jugadores sostienen la paleta de transporte. Entonces alguien va poniendo encima diversos pesos como piedras, leños pequeños y trozos de raíces. Todos calculan cuánto más se puede cargar la paleta hasta que se rompa o hasta que los portadores ya no puedan sostenerla. Se siguen echando más objetos que pesen, hasta que la paleta realmente no aguante más.

Material

Ramas y palos, tallos largos de hierba, tiras de corteza estrechitas

Se puede jugar en cualquier parte

Sugerencia

En cuanto uno de los portadores tenga la sensación de que la paleta pesa demasiado, tiene que decirlo enseguida. Entonces se depositará con cuidado en el suelo.

El punto exacto

A partir de 3 jugadores

20

Material

Un objeto cualquiera

Se puede jugar en cualquier parte

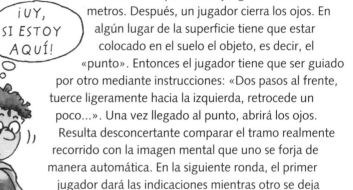

¡UY, SI ESTOY AQUÍ!

META

Se marca una superficie de juego de unos 8 x 8 metros. Después, un jugador cierra los ojos. En algún lugar de la superficie tiene que estar colocado en el suelo el objeto, es decir, el «punto». Entonces el jugador tiene que ser guiado por otro mediante instrucciones: «Dos pasos al frente, tuerce ligeramente hacia la izquierda, retrocede un poco...». Una vez llegado al punto, abrirá los ojos. Resulta desconcertante comparar el tramo realmente recorrido con la imagen mental que uno se forja de manera automática. En la siguiente ronda, el primer jugador dará las indicaciones mientras otro se deja guiar.

Variante

Se hace una descripción completa del camino (como por ejemplo: «Dos pasos al frente, uno hacia la izquierda, cuatro hacia delante, dos a la derecha, uno a la derecha...») y, luego, el jugador ha de hallar el «punto» por sí mismo, sin más indicaciones.

Otra vez el mismo camino

A partir de 2 jugadores

20

No hace falta ningún material

Se puede jugar en cualquier parte

En el suelo se pinta o se raya un trecho con varias curvas. Todos lo recorren varias veces sin salirse de él. Luego viene la tarea: cada uno recorrerá el tramo conocido con los ojos cerrados.

Juegos creativos

Es divertido ser artista y asombrarse de las propias creaciones.

A partir de
1 jugador

20

Material

Papel blanco, pinturas de cera y lápices

Se puede jugar en cualquier parte

Sugerencia

Al hacer los calcos se ha de tener cuidado de que el papel no se rasgue y de que la estructura sea claramente reconocible.

A partir de
2 jugadores

45-60

Material

Maquillaje líquido, pinceles finos, un espejo de neceser; eventualmente, un paño para quitarse la pintura que sobre

Se puede jugar en cualquier parte

Cuadros del fondo

Para este *frottage* (así se denomina el método) cada jugador busca por los alrededores estructuras y superficies que le parezcan interesantes y elocuentes. Puede ser la corteza o las hojas de un árbol, las raíces de un arbusto vencido hacia un lado, un fragmento de roca, unos adoquines o una valla. Quien haya descubierto algo pondrá una hoja blanca sobre el fondo y, con un lápiz, rayará el papel siempre en la misma dirección, de modo que quede calcada la estructura de la superficie. Luego se numera la hoja y se apunta el lugar del hallazgo en otro papel. Si juegan varios, éste es el momento de enseñarse los cuadros unos a otros. Luego se intercambian los *frottages,* y los jugadores intentan hallar los sitios que han servido de base a los dibujos.

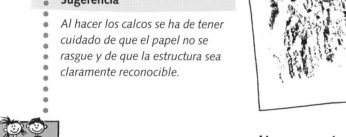

Un rostro estructural

Para este juego tan delicado es imprescindible que los jugadores recuerden una estructura natural especialmente llamativa que les haya impresionado, por ejemplo, durante un paseo; puede ser una estructura brillante, mate, clara, oscura, áspera, blanda, fluida, subdividida, a rayas, moteada, sombreada, etc. Se forman parejas y los jugadores se describen unos a otros, con toda clase de detalle, su «estructura favorita». A partir de esta descripción, un jugador se pinta en la cara la estructura que ha descrito el otro. Los jugadores también pueden decidir que les pinte otro la estructura favorita que les haya sido descrita. Con ello se consiguen unas máscaras fantásticas.

Envolviendo la naturaleza

Como la famosa pareja de artistas Christo y Jeanne-Claude, los jugadores también pueden envolver objetos o fragmentos de la naturaleza. Para ello tienen que elegir un objeto de la naturaleza y envolverlo con papel de periódico, procurando cubrir todas sus formas y recovecos. Esto se consigue mejor con papel un poco húmedo. El objeto puede ser un árbol pequeño, un arbusto, unas raíces, un trozo de roca o toda una superficie de la naturaleza. Al que le apetezca puede fotografiar la obra de arte. Para no dejar rastros que dañen la naturaleza, al cabo de un rato se desenvuelve el objeto y se mete el material en un contenedor de papel viejo.

45-60

A partir de 2 jugadores

Material

Periódicos viejos, agua; eventualmente, cámara de fotos

Se puede jugar en cualquier parte

Eso cabe en el marco

Cada jugador se hace con 4 marcos de papel. Luego busca por los alrededores cuatro fragmentos diferentes de la naturaleza. Quien descubra algo curioso o interesante, lo enmarca y, de este modo, hace que resalte su descubrimiento. Cuando todos hayan terminado, se enseñarán unos a otros sus fragmentos de la naturaleza y describirán por qué han elegido ese «hallazgo».

30

A partir de 3 jugadores

Material

Por cada jugador: 4 marcos de papel o de cartón de unos 10 x 15 centímetros

Se puede jugar en cualquier parte

Cuadros de cualquier sitio

Los jugadores recorren la zona buscando «cuadros» por todas partes. Pueden hallarlos en la estructura de una corteza, en la grieta de un árbol o de una pared, en un camino trillado, en un montón de hojas..., es decir, en cualquier sitio. Quien observe con atención tal vez descubra una cara, una figura, un camino o un paisaje en las superficies ásperas, lisas, ajedrezadas o sombreadas. El que descubra un cuadro intentará pintarlo lo más parecido posible. Luego, entre todos contemplarán los resultados.

Variante

Se reparten los cuadros de tal manera que nadie reciba el propio. ¿Quién encuentra el original del dibujo en el entorno?

Material

Papel y lápices para cada uno

Lugar

El bosque, el borde del bosque, el borde del campo y en cualquier parte

A partir de 2 jugadores

30–60

Vivir al aire libre

Los jugadores instalan una especie de salón con muebles y toda clase de comodidades en un lugar poco convencional e intentan comportarse «con toda normalidad». Por ejemplo, en el prado que rodea la iglesia se monta un rinconcito de salón con una lámpara de pie y unas macetas de flores. Un jugador se sienta en el sofá y se pone a leer; otro escucha música, mientras otros dos juegan al ajedrez en la mesita del sofá. La cosa se vuelve interesante cuando surgen conversaciones con los transeúntes.

A partir de 3 jugadores

60-90

Material

Muebles y electrodomésticos, según la necesidad

Lugar

Cualquier lugar en el que estén permitidas esta clase de acciones

Sugerencia

Para esta «acción artística en el espacio público» hay que pedirle permiso al propietario del terreno en el que va a tener lugar. Eventualmente, habrá que pedir incluso permiso a la autoridad del orden público competente.

Un jardín acristalado

En primer lugar, cada jugador echa en su tarro de cristal una capa de gravilla de unos 2 a 3 centímetros de altura. El que quiera también puede poner encima una capa de arcilla expandida de aproximadamente 1 centímetro de espesor. La arcilla expandida acumula la humedad y la cede de forma dosificada, de modo que la tierra pueda respirar mejor. (La tierra demasiado húmeda puede criar moho dentro del tarro.) Luego se esparce una capa de mantillo de unos 3 centímetros de grosor. Con cuidado, se vierte un poco de agua sobre la capa de tierra, evitando a toda costa que se forme lodo. Entonces cada uno planta las plantas a cierta distancia unas de otras. Queda bonito si se ponen en un lado del cristal las plantas más altas y, delante, las más bajas. Conviene limpiar de restos de tierra la pared interior. Luego se rocían las plantas con un atomizador de agua y se cierra el tarro. Éste ha de estar a la luz, pero no a pleno sol. Dentro del tarro, el contenido de agua se regula por sí mismo, ya que las plantas producen su propio oxígeno; además, gracias a la evaporación y a la condensación, hay suficiente humedad. De este modo, cada uno puede observar el ciclo natural completo, desde la absorción del agua por las plantas, pasando por la evaporación y la condensación, hasta la lluvia.

Material

Para cada jugador: un tarro de cristal grande y transparente con una abertura ancha que se pueda cerrar (corcho); gravilla fina, diferentes plantas de jardín rocoso, como por ejemplo helechos, hiedra, ciclámenes enanos...; eventualmente, la denominada arcilla expandida

Se puede jugar en cualquier parte

Sugerencia

Si el tarro está todo el rato empañado, debería permanecer un tiempo abierto para que se evapore la humedad excesiva. Si las plantas se secan, es que tienen poca humedad, en cuyo caso habría que regarlas.

Minipaisaje

De una excursión por el campo se traen materiales como raíces, cortezas, piñas, cápsulas de semillas, piedrecitas, tallos de hierba, palitos, ramas, hojas y similares. En una caja de cartón recortada para que se quede plana, cada jugador combina esos objetos hasta formar un paisaje de fantasía. Una vez que todo ocupa su sitio, hay que esperar a que se sequen los distintos elementos y luego fijarlos con pegalotodo.

Material

Materiales naturales reunidos por el campo, pegalotodo, una caja de cartón recortada para que quede plana y con el fondo firme (altura: unos 5 centímetros)

Se puede jugar en cualquier parte

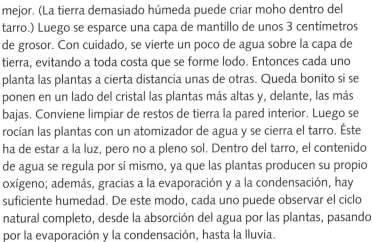

A partir de
2 jugadores

45-60

Material

Diferentes materiales naturales

Lugar

El bosque o el borde del bosque

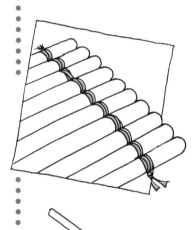

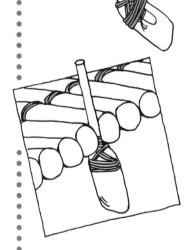

Balsa

Los jugadores buscan materiales naturales como palos, piedras, hojas, trozos de corteza, musgo, hierba, etc. Entre todos construyen con eso una balsa.

Suelo

Se juntan unos diez palitos iguales y se atan de manera que queden bien juntos. Para atarlos lo mejor es utilizar cordones trenzados a base de hierba o corteza.

Timón

En el extremo de una rama fina se ata una piedra muy plana. Este timón se encaja en una ranura entre los palos, a un lado de la balsa. La piedra —o sea, el remo— debería asomar unos 5 centímetros por debajo de la balsa, cuando ésta se meta en el agua.

Vela

El que quiera también puede meter en el centro de la balsa una vela hecha con una hoja gigantesca.

En la proa (delante) se ata un largo cordón hecho a base de hierba trenzada, para así poder recuperar luego la balsa.

Variante

Quien construya una pequeña casita y la ponga sobre la balsa, tendrá una casa flotante. Lo único que importa es que las paredes estén sujetas a la balsa con clavos pequeños, estrechos o puntiagudos. En la proa se puede poner una hoja grande prendida de una rama fina a modo de bandera.

Eterna ciudad de piedra

Como material de obra, se reúne toda clase de piedras: redondas, afiladas, rugosas, lisas, pequeñas o grandes. Cada jugador decide cuáles de sus piedras encajan bien unas con otras. Luego las pega con un pegamento especial para piedra que no tenga disolvente. Una vez que las piedras están secas, pueden ser pintadas o barnizadas. Si se pintan las ventanas, las puertas, los ascensores, los paneles de anuncios y los rótulos indicadores, saldrá una auténtica ciudad en miniatura. Con un poco de maña también se pueden añadir trenes, coches, árboles, etc.

Material

Piedras grandes y pequeñas de diferentes formas; pegamento especial para piedra sin disolvente

Se puede jugar en cualquier parte

Sugerencia

Los niños pequeños necesitan un poco de ayuda a la hora de usar un pegamento tan fuerte.

Tejido natural

Los jugadores construyen el marco del tejido. Para ello se clavan firmemente en el suelo dos palos en paralelo que guarden cierta distancia el uno del otro. Entre los dos lados se tienden unos cuantos cordones hechos a base de corteza o de hierba trenzada (si es necesario, cordón de empaquetar), que disten unos 2 a 3 centímetros entre sí. Luego, entre esos cordones tendidos, se puede ir entretejiendo hierba, piedras, musgo y cosas parecidas. Habrá que apretarlos con fuerza hacia un lado o sujetarlos con un poco de cordón para que queden bien fijos, sobre todo si se trata de objetos algo más grandes.

Material

Diversos materiales naturales como hierba, corteza, piedras, palos, hojas, musgo; si es necesario, cordón para empaquetar

Lugar

El bosque, el borde del bosque, el campo, el borde del campo, una pradera, pero también en cualquier parte

Escultura natural

A partir de
2 jugadores

45

Material

Diferentes objetos naturales como raíces, corteza, piedras, ramas, hojas, huesos de animal, semillas...

Se puede jugar en cualquier parte

Cada jugador reúne diversos objetos naturales. Luego se examinan con detenimiento. Se mira qué elementos encajan unos con otros, cuáles armonizan entre sí y cómo resultarían si se combinaran. Tras esa fase intuitiva e imaginativa, cada jugador empieza a crear su escultura. Al finalizar, se organiza un pequeño *vernissage*, es decir, se inaugura la exposición y se presentan las obras.

Fotografiando la naturaleza

A partir de
3 jugadores

Material

Objetos naturales y fotos de ellos; una bolsa opaca

Se puede jugar en cualquier parte

Un día que haga buen tiempo, los jugadores pueden sacar fotos de determinados objetos interesantes de la naturaleza. Para ello conviene incluir también parte de lo que rodea el hallazgo: por ejemplo, un caparazón de caracol sobre una alfombra de musgo, unas raíces secas dentro de un montón de hojas, una piedra desmoronada junto a una roca, el tegumento vacío de la transformación en crisálida de una libélula... Luego, cada uno recupera el objeto natural fotografiado y lleva el carrete a revelar.

Unas vez reveladas las fotos, se colocan formando varias hileras. Los hallazgos reunidos se meten en una bolsa opaca o en la cesta de la compra. Sin mirar, un jugador saca de la bolsa un hallazgo y lo pone encima de la mesa. El que primero señale la foto de ese hallazgo, se queda con él. Al final gana el que haya reunido más objetos.

Máscaras naturales

Cada jugador crea su propia máscara natural. Para ello reúne los correspondientes materiales naturales que sean de interés. Una vez hecha la máscara, se puede sujetar a la cabeza, o también al cuerpo, con un cordón.

Variante

Los jugadores se ponen de acuerdo sobre un tema específico, como por ejemplo «los espíritus de las rocas y los gigantes del musgo», o «el misterio de los duendes de las raíces en el bosque en tinieblas». Entonces se hacen unas máscaras acordes con el tema. Después, entre todos representan una pequeña función teatral.

Material

Diferentes materiales naturales como hierba, corteza, piedras, palos, hojas, musgo, un cordón hecho a base de hierba o corteza trenzadas; eventualmente, un cordón de empaquetar o una cinta de goma

Lugar

Bosque, borde del bosque, campo, borde del campo, un prado, pero también en cualquier parte

Mosaico

Los jugadores reúnen una gran cantidad de materiales naturales como musgo, piedras, arena, tierra, hojas, corteza, hierbas o ramas. Luego, entre todos hacen un mosaico natural con dibujos fantasiosos.

Material

Diferentes materiales naturales

Lugar

Bosque, borde del bosque, campo, borde del campo, pradera, pero también en cualquier sitio

A partir de
1 jugador

90

Juegos creativos

Rueda hidráulica

Material

Muchos palos delgados, un cordón confeccionado a base de hierba o corteza trenzadas; eventualmente, cordón de empaquetar, navaja y unas tijeras de jardín

Lugar

La orilla de un río, de un riachuelo o de un lago

Sugerencia

Para este juego hace falta un poco de imaginación y de destreza. La rueda hidráulica ha de girar impulsada por la fuerza de la corriente del agua.

En primer lugar, los constructores reúnen el material necesario. Las mejores varas son las de avellano, que han de ser cortadas a ras de tierra.

Cubos

Primero se construyen dos cubos. Para cada lado se colocan cuatro palos de igual longitud (unos 30-50 centímetros) orientados en distinta dirección, de modo que en un extremo formen un pequeño rectángulo, donde serán atados con un cordón. A través de ese rectángulo tendrá que pasar luego el eje.

Eje

En una rama gruesa se hacen dos muescas en los extremos con una navaja.

Soportes

Los soportes se construyen como si fueran borriquetas, es decir, como dos X, a poder ser, muy estables. La mitad superior de la X es algo más pequeña. Ahí es donde se apoya el eje.

Paletas

Se juntan bien pegados unos 15 palitos delgados de madera. Se pone un cubo al lado del otro y, a los dos extremos de los palos que sobresalen a cada lado, se ata, en transversal, una paleta.

Luego se mete el eje por la abertura central de los dos cubos. Se coloca la rueda hidráulica sobre los 2 soportes y se mete en el agua de tal modo que gire con la corriente.

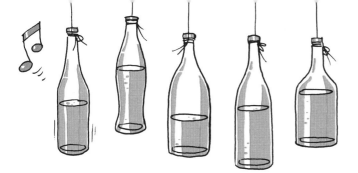

Órgano acuático

Con el agua embotellada se pueden producir tonos. Los jugadores llenan varias botellas de diferentes cantidades de agua. Luego se cuelgan las botellas con un cordón de una rama larga. Entonces se golpean con un palo duro... y enseguida surge una melodía. Quien tenga talento musical puede hacer una escala con las notas exactas, añadiendo o quitando un poco de agua.

Material

Botellas de cristal vacías, un cordón hecho a base de hierba o corteza trenzadas; eventualmente, cordón para empaquetar

Lugar

La orilla de un arroyo o de un río pequeño

Un parque con esculturas de nieve

Con la nieve bien dura, cada uno crea una escultura según su imaginación. Queda muy bien si se añaden materiales naturales, incluso carámbanos. Para alisar las superficies basta con un poco de agua. Al final, los artistas pueden inaugurar la exposición y mostrarse unos a otros sus obras.

Material

Ropa de abrigo y mucha nieve dura

Lugar

Cualquier parte con nieve

Sugerencia

Con materiales naturales y papel transparente de colores, así como velas, antorchas o linternas se pueden crear efectos fascinantes.

Torre

A partir de 2 jugadores

60

Material

Palitos, piedras, musgo, hojas, trozos de corteza, barro, un cordón a base de hierba o corteza trenzadas

Lugar

El bosque o el borde del bosque

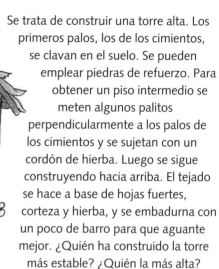

Se trata de construir una torre alta. Los primeros palos, los de los cimientos, se clavan en el suelo. Se pueden emplear piedras de refuerzo. Para obtener un piso intermedio se meten algunos palitos perpendicularmente a los palos de los cimientos y se sujetan con un cordón de hierba. Luego se sigue construyendo hacia arriba. El tejado se hace a base de hojas fuertes, corteza y hierba, y se embadurna con un poco de barro para que aguante mejor. ¿Quién ha construido la torre más estable? ¿Quién la más alta?

A partir de 1 jugador

30

Una pared natural

Material

Diapositivas de objetos naturales o de fragmentos de la naturaleza, proyector de diapositivas, pinturas y pincel; eventualmente, una hoja grande de papel

Lugar

Dentro de casa

Sugerencia

A ser posible, se elegirá una foto de estructura sencilla.

Quien tenga permiso para pintar la pared de una habitación podrá crear una «pared natural» sumamente interesante. Para ello se proyecta en la pared, al mayor tamaño posible, la diapositiva de un objeto natural fuera de lo común. Entonces, con un lápiz, se dibujan directamente en la pared o en un folio grande de papel los contornos del motivo. A continuación, se pintan las superficies de los colores correspondientes. El efecto suele ser fantástico.

Juegos para grupos más numerosos

En las fiestas, los viajes y las vacaciones, los juegos para grupos
un poco numerosos hacen las delicias de todos los niños.

Vuelta ciclista con tareas para resolver

A partir de
6 jugadores

90-120

Los participantes se dividen en grupos pequeños. Cada equipo recibe un papel con las tareas anotadas y un lápiz. Entonces todos salen pedaleando y van resolviendo las tareas en los distintos controles. El equipo preparador será el encargado de anotar las tareas en el papel y de darlas a conocer a su debido tiempo. Después del *tour*, puede que apetezca organizar una fiesta, una tarde de juegos o una comida divertida por el barrio. El grado de dificultad de las tareas debe estar orientado en función de los participantes, así como plantear diferentes retos sensoriales, motrices e intelectuales. El recorrido estará bien marcado y no pasará por zonas intransitables.

Material

Tareas preparadas con antelación; eventualmente, para determinados controles, utensilios como un reloj con minutero o una cinta métrica; papel y lápices

Ejemplos de tareas:
- Dibujar un fragmento curioso de la naturaleza, como por ejemplo unas raíces, la silueta de un árbol, una formación rocosa, la forma de una hoja o la estructura de una corteza.
- Calcular la edad de un árbol serrado por los anillos anuales.
- Mirar y recordar 15 objetos naturales; luego, enumerarlos dos controles más adelante: por ejemplo, un caparazón de caracol, una flor, una pluma, una rama bifurcada, musgo, setas, un tallo de hierba...
- Desde la bicicleta, empujar un leño con un palo hasta la meta. No está permitido bajarse ni tocar el suelo con los pies.
- Palpar sin mirar cinco objetos de la naturaleza.

Se puede jugar en cualquier parte

97, 98, 99 ...

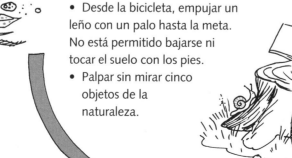

- En determinado tramo claramente marcado hay entre 10 y 15 cosas escondidas, que o bien no son naturales o bien no pertenecen a ese fragmento de la naturaleza. Se trata de descubrirlas y anotarlas. Por ejemplo, un animal de trapo en la pradera, un pino con adornos navideños, unos plátanos colgados de un manzano, una palmera en un campo de trigo...

- Recorrer con la bici una tabla larga sin rozar el suelo con las ruedas ni con los pies.
- Con la ayuda de una foto, encontrar durante el *tour* determinado objeto natural.

- Cargar a otro con un objeto «caliente» sin que lo note. Quien al final lo tenga, deberá hacer una tarea extra o bien anotarse un punto negativo.

- Apuntar las letras que se van repartiendo por el camino y formar con ellas la frase-consigna (por ejemplo, «Invitamos a los organizadores a tomar un helado»). Para facilitar la tarea, las letras de cada palabra serán de un color diferente.

- Pasar por debajo de una vara colocada transversalmente (a unos 150 centímetros de altura) sobre dos sillas o mesas puestas a derecha e izquierda, sin tirarla.

- ¿Qué idea se os ocurre para crear en determinado sitio algo especialmente respetuoso con el medio ambiente?

- La serpiente y el huevo: A través de la cámara de aire cortada de una bicicleta tiene que pasar lo más deprisa posible una pelota de ping-pong o una canica.

- Nombrar semillas que sean esparcidas por el viento (por ejemplo, diente de león, trigo, abedul).

- Mencionar 10 cosas de la naturaleza que, por ejemplo, empiecen por M.

En esta vuelta ciclista se pueden incluir otros muchos juegos que no aparecen en este libro.

Sugerencia

El director del juego ha de preparar muy bien la vuelta, a poder ser, con unos cuantos que lo ayuden. Para ello habrá que examinar el terreno antes del tour, *para así adaptar mejor las tareas a las características del recorrido. Éste debe tener poco tráfico; de todos modos, conviene poner ayudantes en los tramos peligrosos.*

META

Fiesta verde

A partir de 6 jugadores

150

Material

Materiales naturales, comestibles según la necesidad, pegamento, revistas y papel de periódico

Lugar

Bosque, borde del bosque, borde del campo, pradera, pero también en cualquier parte

Decoración

Se adorna la «mesa del buffet» con materiales naturales. En el centro se ponen cortezas, hojas, hierbas largas, flores y piedras. En un extremo de la mesa se puede crear un pequeño paisaje de materiales naturales. En el otro extremo estarán listas las bebidas en medio de una «jungla» de hierbas, cañas, cortezas y ramas. Como asiento se puede utilizar la mullida pradera o unos tocones de árbol con un «cojín» de hierba.

Programa

La fiesta se introduce con las canciones favoritas de los invitados, seguidas de los juegos naturales que aparecen descritos en este libro. Luego, todos se acercan a la mesa para llenar el estómago.

Comer y beber

Quien quiera esmerarse un poco puede organizar la comida bajo un lema, como por ejemplo «Sueño verde». En ese caso, sólo habrá cosas que sean verdes: poleo, lechuga, mantequilla a las finas hierbas, sopa de espelta, flan de asperilla, requesón con hierbas aromáticas, calabacines rellenos, tarta de uvas...

Maestros y espíritus del bosque

Se forman dos equipos de igual tamaño. Este juego sólo se puede jugar con un número par de jugadores (2 x 4, 2 x 6 o 2 x 8). La mitad de los jugadores de cada grupo, en absoluto secreto, esconde un objeto natural bajo la ropa. Es importantísimo que el grupo contrario no se entere de quién posee un objeto. Los jugadores del objeto escondido son los denominados «maestros del bosque» (buenos); los que no tienen nada son los «espíritus del bosque» (malos) del equipo.

La superficie del juego se divide en 6 x 6 «casillas» de igual tamaño. Las cuatro casillas de las esquinas son los «lugares secretos», en cuyo suelo se clava, por ejemplo, una estaca gruesa.

Un equipo se coloca a un lado del campo en dos filas, ocupando cada jugador una casilla. En el lado de enfrente se coloca de igual manera el equipo contrario. Las cuatro casillas de las esquinas permanecen vacías.

En el resultado de este juego intervienen tres posibilidades. Gana el equipo que haya cumplido una de las siguientes condiciones:

1. Todos los maestros del bosque (buenos) del adversario han sido capturados.
2. Un maestro del bosque (bueno) de un equipo sale a través del «lugar secreto» del grupo contrario.
3. Todos los espíritus del bosque (malos) propios han sido capturados por el enemigo.

La manera de moverse los jugadores está rigurosamente establecida: Los maestros o los espíritus del bosque sólo pueden moverse una casilla a la izquierda, a la derecha, hacia atrás o hacia adelante. No pueden avanzar en diagonal. Se pueden capturar maestros o espíritus del bosque, en función del provecho que se obtenga para vencer.

En cuanto un espíritu o un maestro se junta con un jugador contrario en la misma casilla, tiene lugar la captura. El jugador que llega envía al otro tras la línea lateral del campo de juego. El capturado tiene que dar a conocer si es un maestro del bosque (bueno) o un espíritu del bosque (malo).

El primer equipo decide su estrategia y envía a un jugador a que avance una casilla. Luego les toca el turno a los otros, que también se ponen de acuerdo y hacen avanzar a un jugador. En cuanto un equipo haya cumplido con el objetivo del juego, éste se da por concluido.

Material

Piñas o algo parecido para marcar el terreno, palo

Lugar

Bosque, borde del bosque, borde del campo, prado, pero también en cualquier parte

Sugerencia

No existe una táctica determinada, sino que en este juego interviene a menudo la intuición, la fanfarronada o la suerte. Un equipo puede intentar provocar una captura enviando a un jugador. De este modo, a veces ocurre que un maestro del bosque, considerado por el adversario un espíritu del bosque, llega inadvertidamente al «lugar secreto».

A partir de 2 jugadores

150-180

Vivir como Robinsón en la isla

En una zona de vegetación variada, los jugadores buscan el emplazamiento idóneo para una cabaña natural. Un refugio tan respetuoso con el medio ambiente no sólo protege del viento y de la intemperie, sino que además puede servirles a los animales como cuartel de invierno. Entre todos los jugadores deciden cuál es el mejor emplazamiento y qué tamaño ha de tener la cabaña. Todos reúnen el material de construcción apropiado y construyen su refugio.

Pilares y pilastras
Comencemos por los pilares y las pilastras de los ángulos, que proporcionan estabilidad a la cabaña.

Revestimiento de las paredes
Una vez levantada la estructura, se clavan en el suelo ramas a modo de puntales y se sujetan con hierba o ramitas finas trenzadas; luego se entretejen más ramitas como relleno de las paredes.

Entrada y ventanas
Los «marcos» de las ventanas y de la puerta se hacen con ramas blandas y flexibles.

Tejado y suelo
A ser posible, el tejado debe constar sólo de dos vertientes estables, como por ejemplo dos entramados de ramas y hojas trenzadas, para que pueda ser rápidamente reparado en caso de que se caiga. Una tupida red de ramas colocada sobre el suelo aísla la cabaña de la humedad y la mantiene limpia.

Decoración interior
Unas piedras grandes o unos tocones de árbol pueden servir perfectamente como asientos.

Plantación
Unas plantas trepadoras de rápido crecimiento proporcionan una protección natural adicional a la cabaña; asimismo, ofrecen un buen alojamiento a los animales pequeños y a los insectos. Las mejores plantas trepadoras son la parra virgen, el lúpulo, las aristoloquias, la hiedra, las habas y la espérgula. Pero también pueden plantarse arbustos frutales como el avellano, el arándano, la zarzamora y la frambuesa.

Material
Palos, ramas, troncos, corteza, hojas, musgo, piedras, paja, heno, semillas o brotes de plantas trepadoras

Lugar
El bosque o la linde del bosque

Sugerencia
Para evitar llevarse un disgusto con la inspección forestal o con la oficina del medio ambiente, lo mejor es preguntarle al guarda forestal por el emplazamiento adecuado para la cabaña. Lo ideal sería pasar un día o una noche en la cabaña, ya que supone una experiencia inolvidable. En cualquier caso, los niños deben estar acompañados de sus padres o de personas adultas. Es importante llevar ropa apropiada para el tiempo que haga, y un saco de dormir.

Herramientas de material natural

Para la «casa de Robinsón» conviene hacer varias herramientas a base de materiales naturales. La gracia consiste en no utilizar recursos «modernos».

Martillo
Un martillo se hace con una rama y un trozo de piedra dura sujeta con un cordón a base de hierba trenzada.

Pala
Con una rama y una piedra plana bien atada o un trozo duro de corteza se puede hacer una palita.

Aguja de coser
Este práctico utensilio para coser se hace con un palito muy afilado, en cuyo extremo se taladra un agujerito con la punta de una piedra puntiaguda.

Cuchillo
Para hacer un cuchillo es necesario pulir un poco una piedra alargada y afilada con otra piedra. El extremo de la piedra alargada se envuelve con corteza y hierba para que sirva de empuñadura.

Arco y flechas
Para confeccionar el arco se toma una vara de avellano recién cortada. Se dobla y, entre los dos extremos, se tiende un cordón hecho a base de hierba o de tiras estrechas de corteza. Si se quiere, también se puede utilizar un cordón de empaquetar. Para que el cordón aguante mejor, se pueden tallar unas muescas oblicuas en los extremos de la vara o taladrar unos agujeritos. Las flechas se hacen con palos rectos; se afila un extremo y en el otro se talla una muesca para enganchar el cordón.

Utensilios para comer y beber
Un tenedor se hace con una ramita que tenga una bifurcación en su extremo más delgado. La cuchara se puede hacer con un trozo de corteza estrecho al que se le habrá raspado la punta. Para el vaso se necesita una corteza de abedul ahuecada y limpia, en torno a la cual se envuelven y se atan unas hojas. Como plato se puede utilizar un trozo de corteza plano bien lavado.

Material

Materiales naturales; eventualmente, un poco de cordón de empaquetar. Para la variante: hallazgos desechados de todo tipo

Se puede jugar en cualquier parte

Sugerencia

Con el uso del arco hay que tener muchísimo cuidado; se debe mantener una distancia prudencial con respecto a las personas y los animales.

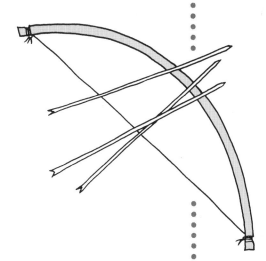

Rally para un día de excursión

A partir de 4 jugadores

60-90

Material

Tareas preparadas con antelación; eventualmente, papel con las tareas anotadas, utensilios como, por ejemplo, una cinta métrica o un reloj con minutero

Se puede jugar en cualquier parte

Antes de empezar el juego, el director ha de preparar algunas tareas. Después, los jugadores emprenden la marcha junto con el director, y en cuanto encuentren un lugar apropiado para determinada tarea, se detienen. Entonces se da a conocer la tarea o se sacan los papeles, en los que irán anotadas las tareas y que se habrán repartido previamente, y los jugadores se ponen manos a la obra solos o en equipo. Al final puede haber un ganador, pero tampoco es necesario. En este juego debe prevalecer la ilusión por hacer las cosas juntos.

Ejemplos:

- Con los ojos cerrados, reconocer y nombrar seis ruidos producidos con materiales naturales por el director del juego.
- Hacer equilibrios encima de un muro bajito o del tronco de un árbol, girar al final y recorrerlo de vuelta sin tocar el suelo con los pies.
- Calcular la envergadura de un árbol a partir de tres datos.
- Calcular cuánto tiempo necesitará otro miembro del grupo para descubrir determinado objeto natural, como por ejemplo una pluma o una caracola.

- Construir en 3 minutos una torre lo más alta y estable posible a base de objetos naturales. No vale utilizar elementos de construcción de más de 50 centímetros de longitud.
- Reunir hojas de 15 plantas diferentes y nombrar 8 de ellas.
- Recorrer una cuerda de unos 5 metros colgada a aproximadamente 1,5 metros de altura (sobre un arroyo imaginario o una hondonada).

- Observar y recordar 15 objetos naturales (corteza, caparazón de caracol, flor, hoja, rama bifurcada, musgo, seta, tallo de hierba, insecto muerto, hueso, pluma, pelos de animal, piedra, nido de pájaros vacío y piña roída).
- Con los materiales naturales disponibles hacer una trampa de cazador y ponerle un nombre apropiado.
- Haciendo equilibrios, recorrer hacia atrás un tronco caído.
  - Descubrir plantas medicinales y mencionar cómo se preparan y qué efectos producen.
- Construir una pala y cavar un agujero de 20 centímetros de profundidad.
- Mencionar o apuntar en un papel los 15 objetos naturales guardados en la memoria en un control anterior.
- Trepar por un árbol y recuperar un objeto que haya sido depositado en él.
- Nombrar frutos del bosque comestibles y, si se quiere, buscarlos también por los alrededores. (¡Atención!: Dado el peligro de ser contagiado por la tenia del zorro, no se deben consumir frutos que estén cerca del suelo.)
- Hacer con hierba una trenza resistente de, como mínimo, 40 centímetros de longitud.
  - Calcular la edad de un árbol serrado con la ayuda de los anillos anuales.
  - Transportar una piedra pesada sólo con palos a una distancia de 5 metros, sin que la piedra roce el suelo.
  - Construir un recipiente a base de materiales naturales y transportar la mayor cantidad posible de agua por un tramo convenido.
- Con los dedos de los pies descalzos llenar un recipiente con determinado número de piedras.

MONDADIENTES
PARA CAZADORES
TRAMPOSOS

Sugerencia

La ventaja de este tipo de rally es que también se puede hacer en una zona desconocida, ya que el director del juego elige las tareas de tal modo que puedan llevarse a cabo, con pequeñas variaciones, en casi cualquier sitio.

A partir de 6 jugadores

60-90

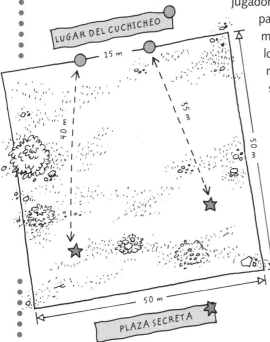

LUGAR DEL CUCHICHEO

15 m

40 m

35 m

50 m

50 m

PLAZA SECRETA

Los portasecretos

Material

10 piedras del tamaño de un puño con un punto rojo, 10 piedras con un punto azul, una cantidad cualquiera de piedras sin marcar, 2 pegatinas rojas y 2 azules

Se puede jugar en cualquier parte

Sugerencia

En cuanto un jugador se acerca 1 metro a un portasecretos, éste se considera capturado. También se puede jugar a que los portasecretos tengan que ser tocados.
(en la ilustración):

Un director del juego forma dos grupos. Cada equipo recibe diez piedras del color de su grupo, que son los «secretos». Se señala un terreno de juego de 50 x 50 metros. En una de las líneas que bordean este terreno, cada equipo marca un círculo de aproximadamente 1 metro de diámetro; los dos círculos han de distar unos 15 metros. Este tramo es el «lugar del cuchicheo». Ahí dentro depositan los jugadores sus secretos marcados, así como una cantidad cualquiera de piedras no marcadas de, más o menos, igual tamaño.

Luego los equipos se distribuyen por todo el terreno de juego y se buscan una «plaza secreta», que ha de estar a una distancia mínima de 30 metros del «lugar del cuchicheo». Al cabo de 15 minutos, cada grupo le comunica al director del juego su plaza secreta, sin que se entere el otro grupo, y a continuación se dirige a su «lugar del cuchicheo». Allí cada grupo nombra a dos portasecretos, que han de ponerse las pegatinas de modo que no se vean. Tras una señal, comienza el juego. Entonces cada equipo ha de llevar los propios secretos, que se encuentran en el «lugar del cuchicheo», a su plaza secreta. Quien lo consiga primero, gana. Los secretos sólo pueden ser transportados por los portasecretos, aunque dentro del grupo los jugadores pueden intercambiar las pegatinas. Este intercambio ha de pasar completamente inadvertido. Todos los jugadores se moverán sin parar por el terreno de juego, de tal manera que los adversarios no puedan saber nunca quiénes son en ese momento los portasecretos ni dónde se encuentra la plaza secreta. Para despistar al otro equipo, los jugadores también pueden llevar consigo piedras sin marcar halladas por el camino o pasárselas provocadoramente unos a otros. Si un jugador es detenido y rozado con la mano, tiene que enseñar su pegatina, en caso de que lleve alguna. Si el portasecretos atrapado lleva efectivamente un secreto, se lo queda el enemigo. Una piedra sin marcar no tiene valor; una piedra marcada queda devaluada al ser confiscada, y no puede ser recuperada.

Variante

También se puede fijar una duración limitada del juego; en ese caso, se cuenta qué grupo ha conseguido llevar hasta ese momento más piedras a su plaza secreta.

Apuntes del natural

Dentro de una zona convenida, en el bosque, en el parque o al borde de un camino, cada jugador busca un pequeño fragmento de la naturaleza. Este fragmento ha de ser observado durante un tiempo prolongado (por ejemplo, un mes, medio año o un año entero), mientras se anota todo lo que va cambiando. Luego, todos se intercambian sus apuntes del natural y se cuentan qué peculiaridades han ido surgiendo. Unas fotos, unos cuantos hallazgos y algún dibujo pueden completar los apuntes.

Variante
Cada jugador puede elegir también determinado árbol o arbusto y someterlo a observación. Entre otras cosas, puede medirlo, anotar la transformación del tamaño de las hojas en el transcurso del tiempo, dibujar la silueta del árbol en las distintas estaciones del año o registrar las diferentes especies animales que lo pueblan.

Material

Un lápiz y un cuaderno para cada uno; eventualmente, una cámara de fotos

Se puede jugar en cualquier parte

Sugerencia

Este juego requiere mucha paciencia, ya que los cambios interesantes suelen tardar mucho en producirse.

Caza con papelillos

Para este conocido juego se forman dos grupos. El primero sale zumbando y va dejando huellas por el camino. Lo mejor es dibujar con tiza flechas en la calle o poner señales indicadoras hechas a base de palos y otros hallazgos procedentes del bosque. (Más tarde habrá que recuperar los papelillos.) Tras un tiempo convenido, sale el grupo perseguidor e intenta atrapar lo antes posible a los que han huido. Cuando lo consiguen, termina el juego.

No hace falta ningún material

Se puede jugar en cualquier parte

Sugerencia

La idea básica de este juego se puede ampliar introduciendo diferentes temas y distintas tareas para resolver.

A partir de
3 jugadores

45-60

Una senda para experimentar la naturaleza

Material

Objetos naturales

Se puede jugar en cualquier parte

Los jugadores buscan una senda en la que se puedan tener diferentes experiencias naturales. En este tramo limitado se podrá hacer todo tipo de experiencias sensoriales relacionadas con la naturaleza. Las sugerencias del capítulo «Juegos para todos los sentidos» ayudarán a planificar las tareas de los distintos controles. Para que las percepciones sean más intensas, lo mejor es separar nítidamente las diferentes zonas.

Ejemplos para los distintos controles:
- *Tacto:* Palpar objetos naturales y adivinar qué son.
- *Gusto:* Probar y definir diferentes comidas y bebidas con los ojos cerrados.
- *Vista:* Extender sobre una mesa objetos naturales procedentes del entorno más próximo y visible y, luego, redescubrirlos en la naturaleza: flor, hoja, fruto, corteza, piedra, musgo, tallos de hierba, arena.
- *Olfato:* Ofrecer en vasos o platos objetos naturales muy aromáticos y, con los ojos cerrados, olerlos y definirlos: manzana, pera, diferentes flores o también condimentos.
- *Oído:* Adivinar con los ojos cerrados ruidos producidos con objetos naturales y, eventualmente, localizarlos en el entorno.
- *Movimiento, profundidad, tiempo y espacio*: Calcular un lapso de tiempo; con los ojos cerrados, transportar un objeto por un tramo corto y luego meterlo en un recipiente sin tocarlo; con los ojos cerrados, agarrar una piedra, dar varias vueltas sobre uno mismo y volver a colocarla en el mismo sitio.
- *Fuerza y tensión*: Bajo la batuta del director, tensar y destensar una y otra vez muchas partes del cuerpo lo más deprisa posible: dedos de los pies, pie, pantorrilla, muslo… Dar suficiente tiempo a los jugadores.

El viernes juega Robinsón

De troncos de árboles se sierran numerosos discos finos; con unos leños más delgados se hacen muchos trozos de leña de diferente longitud. Se colocan ordenadamente en una superficie delimitada junto con piedras de diferente tamaño, trozos de corteza, paja, virutas y varas largas. A continuación, todos intentan hacer algo con el material existente. Seguro que cada jugador descubre muchas de las posibilidades que encierran los objetos naturales y, poco a poco, va desarrollando su propio juego. Si son varios los jugadores encargados de fantasear, posiblemente surjan reglas comunes o diversas tareas para resolver.

Material

Sierra, leños, trozos de corteza, paja, virutas, varas largas, piedras

Lugar

El borde del campo, una pradera

Mimetismo: ¿dónde estabas?

Con este interesante y emocionante juego se puede llegar a descubrir un príncipe encantado. Los jugadores se dividen en parejas o, si son muchos, en equipos de tres. Cada uno de estos equipos recibe la tarea de buscar a escondidas un lugar dentro de una superficie de juego de unos 400 x 400 metros. Ningún grupo pequeño debe saber ni ver dónde se encuentran los demás jugadores. A los 90 minutos, todos se reúnen de nuevo en el punto de partida.

Cada equipo busca un sitio en el que haya superficies, estructuras o plantas muy interesantes. Entonces un jugador de cada equipo tiene que adaptarse al entorno (mimetismo), de tal manera que no se le pueda distinguir a simple vista. Para ello, la persona elegida ha de ponerse la ropa vieja. Con ayuda de una cinta adhesiva fuerte o de un cordón, los otros dos jugadores de su equipo lo «revisten» de materiales procedentes del entorno natural, de modo que sea muy difícil descubrirlo.

Una vez concluida la transformación, todos los equipos se dirigen al punto de encuentro dando varios rodeos (para que no se sepa con exactitud de dónde vienen). Entonces los grupos pequeños tienen que averiguar cuál es el lugar en el que se ha producido el mimetismo de los otros.

Material

Prendas de vestir viejas; eventualmente, bolsas de basura o sacos de patatas limpios (¡cuidado!: algunos sacos tienen mucho polvo); cinta adhesiva fuerte, cordón, materiales naturales de todas clases, navaja, tijeras y, eventualmente, cámara de fotos

Lugar

Una zona amplia y variada de la naturaleza

Sugerencia

Se llama «mimetismo» al camuflaje de algunos animales indefensos, que adoptan determinadas posturas, conductas o incluso el color de otro animal fuerte para defenderse mejor. Los sirfidos, por ejemplo, utilizan este truco para parecer avispas.

LOS NIÑOS Y LA NATURALEZA
*Juegos y actividades para inculcar
en los niños el amor y el respeto
por el medio ambiente*
LESLIE HAMILTON

200 páginas
Formato: 15,2 x 23 cm
Libros singulares

JUEGOS PARA FOMENTAR
LA ACTIVIDAD FÍSICA EN LOS NIÑOS
Deportes, fitness, danza, ejercicios...
JULIA E. SWEET

240 páginas
Formato: 19,5 x 24,5 cm
Niño y su mundo 48

MI AMIGO EL ÁRBOL
*Juegos y actividades para estimular
en los niños el amor a la naturaleza*
MONIKA KRUMBACH

96 páginas
Formato: 19,5 x 24,5 cm
Crecer jugando 12